NONFICTION
論創ノンフィクション
014

定点観測 新型コロナウイルスと私たちの社会

2021年前半

忘却させない。風化させない。

森 達也 編著

論創社

第三弾の刊行によせて

今日の日付は七月二〇日。明日から男子ソフトボールの予選リーグとと女子サッカーの第一ラウンドが始まり、その二日後である二三日は開会式だ。つい一カ月前まで僕は、最終的に中止になるだろうと思っていた。僕だけではない。多くの人がそう思っていたはずだ。でも事態は進む。

一九七七年にTBS系列で放送された『岸辺のアルバム』は、山田太一が原作と脚本を担当したテレビドラマだ。主演は八千草薫。平凡な家庭の崩壊を描いている。最終回のラストで増水した川に家が流される実際の報道映像が最後に使われた。記憶では音がない。ゆっくりと濁流にのみこまれてゆく多くの家。テレビ画面を見つめていたあの感覚を思い出す。壊れてゆく。もう戻らない。何もできない。ただ見ているだけ。

二〇二〇年九月に刊行された『定点観測 新型コロナウィルスと私たちの社会』の第一弾で上野千鶴子は、（新型コロナによって）「平時の矛盾や問題点が拡大・増幅してあらわれる」「すでに起きていた変化が危機によって加速する」と宣言した。強く同意する。五輪についても、その露骨な商業主義、企業や資本との癒着、ナショナリズムへの無用な刺激や開催国の政治利用など五輪そのものが抱えていた矛盾や問題点が浮き彫りになり、さらに五輪組織委の森喜朗会長の女性蔑視発言も含めて、開会式の音楽や演出など主要メンバーたちの過去の不用意な発言が明らかになることで、この国が内包する差別性や人権意識のお粗末さ、浅薄な歴史認識などが、新型コロナによってうんざりするほどに露わになった。

ところが菅政権は止まらない。五輪開催に向けてアクセルを踏み続ける。まるでハリウッド映画のカーチェイスのように。でもこれは現実だ。しかも暴走するバスの座席に坐っているのは僕たちなのだ。

子供のころから五輪の閉会式が好きだった。開会式ではなく閉会式だ。なぜなら閉会式は無礼講。各国選手団は開会式のように整然と行進しない。ばらばらだ。そして入場後も並ばない。好き勝手に動き回る。イスラエルとアラブの選手が抱き合っている光景を目にした記憶がある。韓国と北朝鮮の選手が笑顔で肩を組んでいる。メダルの数など関係ない。肌の色や信仰や言語の違いも関係ない。ハグさえすれば体温は同じなんだと今さら気づく。テレビを見ている僕たちも同じ思いを共有できる。その意味で閉会式は、まさしく平和の祭典を体現していた。

でも九六年のアトランタか二〇〇〇年のシドニー大会あたりから、日本のテレビが映し出す閉会式の光景が変わってきた。カメラが追うのは日本人選手ばかり。特にここ二〇年くらい、その傾向はどんどん顕著になってきたように思う。テレビだけが変化したのではない。テレビのマーケットである社会の側が変わったのだ。この時期にバレーボールワールドカップ女子の中継を見たときも、アップになるのは日本人選手ばかりで対戦相手国ペルーの選手は最後まで顔がほとんどわからなくて、観ながらとても驚いた記憶がある。
二一年六月二日に首相官邸で行われたぶら下がり会見で菅首相は、「東京五輪・パラリンピックを開催すべきだと考えられる理由、感染対策ではなく開催すべきだという理由をどのように考えられるか」と記者から質問され、「まさに平和の祭典」といきなり口にした。以下は全文だ。

まさに平和の祭典。一流のアスリートがこの東京に集まってですね、そしてスポーツの力で世界に発信をしていく。さらにさまざまな壁を乗り越え、努力をしている。障害者も健常者も、これパラリンピックもやりますから。そういう中で、そうした努力というものをしっかりと世界に向けて発信をしていく。そのための安心安全の対策をしっかり講じた上で、そこはやっていきたい。こういうふうに思います。

記者は開催する理由を（焦点をずらさないでくれと念を押すように二回も重ねて）質問している。これに対して菅首相は、いつものように「安心安全の対策をしっかり講じた上で」の文脈になし崩しに回収されてしまう後段はともかくとして、前段から中断にかけて「世界に発信」「世界に向けて発信」と二回口にしている。でもこのフレーズには目的語がない。だから推察するしかないが、冒頭で「まさに」と強調した「平和」が該当するのだろう（しかし現代国語の問題文じゃあるまいし、なぜ毎回これほど不完全な日本語になるのだろう）。

平和を世界に発信する。それが五輪開催にこだわる理由であり大義であると菅首相は宣言した。コロナ禍で多くの国民が不安な思いを抱いているが、どう考えても人流が活発になるから新たに感染爆発するかもしれないが、来日した選手や関係者たちが持ち込んだ変異株の感染が一気に広がるかもしれないが、その帰結として死ななくてもよい多くの国民が死ぬかもしれないが、でも世界に平和を発信するために五輪は開催されねばならないのだ、と解釈するしかない。

実はこれまで五輪の大義は、安倍政権時代も含めて猫の目のようにくるくると変わってきた。招致が決まったころは「復興」だった。でもコロナ禍が始まってしばらくが過ぎてから安倍前首相は、「復興」を引っ込めて大義を「コロナに打ち勝った証し」に代えた。菅首相も就任後しばらくはこれを引き継いでいたが、さすがにコロナ対策の大きな遅れが明らかになった今年一月のダボス会議では、「人類が新型コロナウイルスに打ち勝った証しとして」に「世界の団結の象徴として」を加えて大義を説明した。さらに四月の訪米でバイデン大統領と会談したときは、「世界の団結の象徴として東京オリンピック・パラリンピックの開催を実現する」と表明した。こうして「復興」に続いて「打ち勝った証し」もいつのまにか消えた。

そして六月になって表れたのが「世界に平和を発信する」。でもならば言いたい。首相に問い返したい。

……とここまで書いたところで、前書きの規定字数を超過してしまった。もしも続きを読みたいと思ってくれるなら本文で。

二〇二一年七月二〇日

森　達也

目次

【編集部より】

・本書の各論考は、巻頭の斎藤環氏のものを除いて、あいうえお順（執筆者名）で掲載した。

・基本的に、二〇二一年一月一日から六月三〇日を定点観測の対象とした。

［医療］

変異株のまん延とワクチン接種の遅れ

斎藤 環

斎藤 環（サイトウ・タマキ）

一九六一年、岩手県生まれ。精神科医。筑波大学医学研究科博士課程修了。爽風会佐々木病院等を経て、筑波大学医学医療系社会精神保健学教授。専門は思春期・青年期の精神病理学、「ひきこもり」の治療・支援ならびに啓発活動。著書に『社会的ひきこもり』（ＰＨＰ新書）、『世界が土曜の夜の夢なら』（角川文庫）、『オープンダイアローグとは何か』（医学書院）、『「社会的うつ病」の治し方』（新潮選書）、『中高年ひきこもり』（幻冬舎新書）ほか多数。

感染状況の推移

二〇二一年五月三一日は、新型コロナウイルス感染症（COVID‐19または新型コロナ）の「第四波」の渦中で迎えることになった。五月三〇日時点での日本の感染者数は、七四万四九五六人、クルーズ船の乗客・乗員が七一二人で、合わせて七四万五六六八人となる。亡くなった人は一万二九八〇人、クルーズ船の乗船者一三人を合わせて一万二九九三人である。感染者数の推移を図1に示す。

ＡＦＰによれば、五月三〇日の時点で全世界の新型コロナ感染者数は一億六九八五万七三八〇人、死者数は三五三万五三七六人であった。

国別に見ると最も被害が大きいのは米国で、これまでに三三二五万一九八二人が感染し、五九万四三〇六人が死亡している。以下、被害の大きい順に見ていくと、ブラジル（感染者一六四七万一六〇〇人、死者四六万一〇五七人）、インド（感染者二七八九万四八〇〇人、死者三二万五九七二人）、メキシコ（感染者二四一

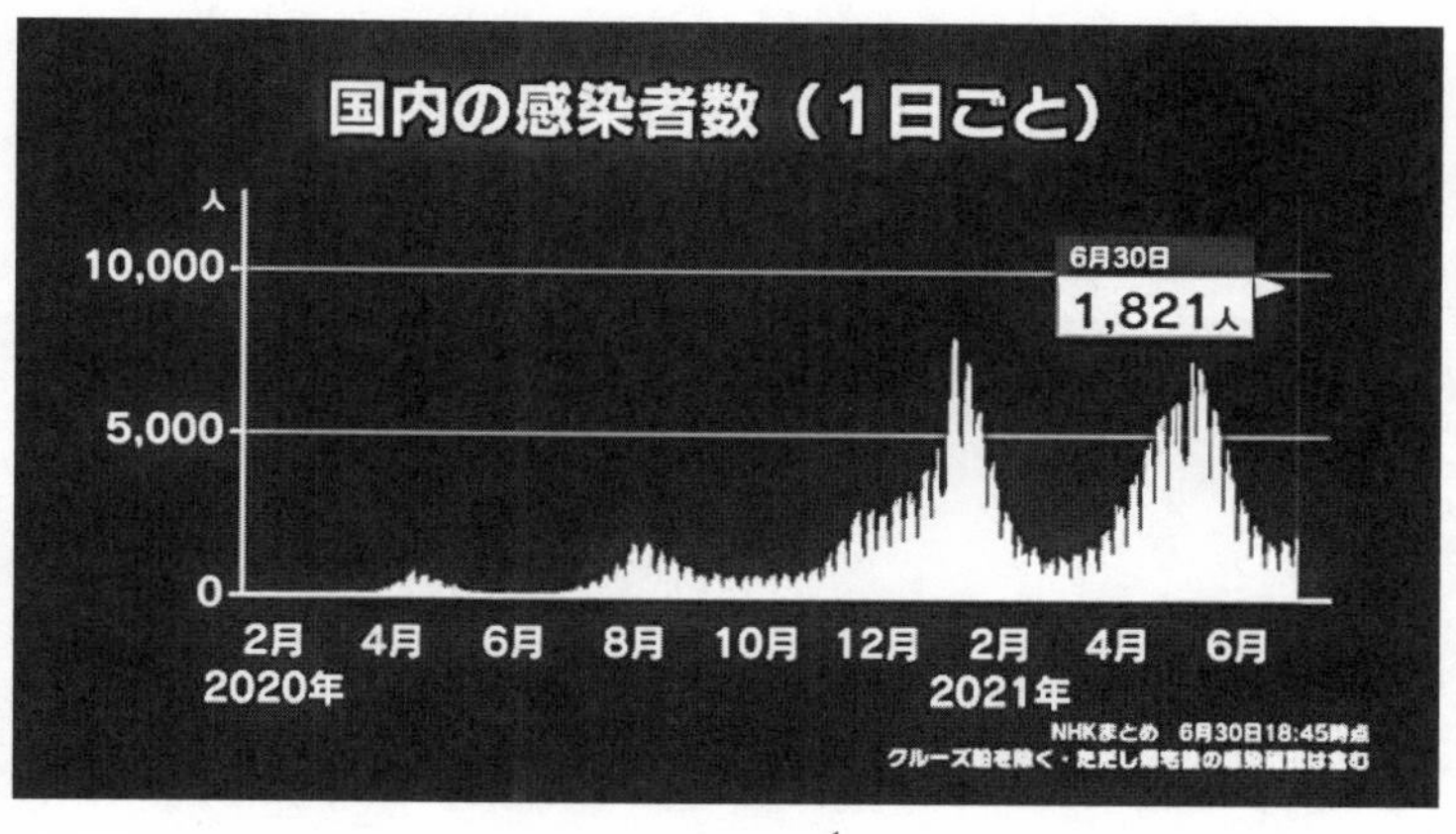

図1　新型コロナ 国内感染者数の推移[1]（2021年6月30日付）

万一五〇三人、死者二二万三四五五人)、英国(感染者四四八万九四五人、死者一二万七七七五人)となっている。[2]

日本国内では、感染拡大の推移とともに、五月三一日までに緊急事態宣言が二回発出された。図1にも示されるように、二〇二〇年末から感染者数が急増し、二〇二一年一月八日には全国で新規感染者が七九五七人と、過去最多を記録した。このため、二回目の緊急事態宣言が二〇二一年一月七日に発出されたが、多くの人が「自粛慣れ」ないし「自粛疲れ」の状態だったせいか、過去の宣言時ほど人出を抑制する効果はなかった。それでもいったんは感染者数が減少に転じたため、三月二一日に宣言は解除されたが、あまり間を空けずに「新型コロナウイルス感染症まん延防止等重点措置」が四月五日から講じられており、それでも感染者数の増加が止まらないため、三回目の緊急事態宣言が四月二五日に発出されている。この時期、大阪では重症患者が急増し、恐れられていた医療崩壊が起こってしまった。すなわち、重症患者に必要な診療ができず、通常なら救える命が失われたのである。

このように、二〇二一年の前半は、二〇二〇年の同時期よりも感染者数は増加しており、ほぼ切れ目なく自粛モードが続くことになった。多くのイベントや集会に自粛が要請される中、日本政府は最大のイベントたるオリンピックの開催に固執し続けている。そのダブルスタンダードぶりもさることながら、オリンピックが〝変異株の祭典〟にならないための十分な対策を、政府関係者が真剣に考えているとは到底思われないのは残念なことだった。

変異株の問題

二〇二一年の上半期、COVID－19関連で最も大きな注目を集めた話題は「変異株」と「ワクチン」であろう。まず「変異株」について見てみよう。

新型コロナはヒトや動物の細胞に侵入し、細胞にウイルスの複製を作らせることで増殖していく。ウイルスの遺伝子は何度も大量のコピーを繰り返すが、この過程でRNAの遺伝情報にコピーミスが生じる。これが変異の原因である。ほとんどの変異はウイルスの性質に影響しないが、まれに起きる重要な変異がウイルスの性質を変化させてしまうことがある。

時系列順に見ていくと、イギリスで確認された変異株「アルファ株」、南アフリカで広がった「ベータ株」、ブラジルで広がった「ガンマ株」などは初期に話題になった変異株だが、いずれもウイルスの「スパイクたんぱく質」という部分の遺伝情報に変異が起こっていた。以前にも述べたように、スパイクたんぱく質はコロナウイルスが人の細胞に感染する際の足場になる部位で、この性質が変わるこ

変異株の名称 （最初に報告された国）	変異の部位	感染性	重篤度	ワクチンの効果
アルファ株 （イギリス）	N501Y	5～7割程度 高い可能性	入院時死亡リスクが高い可能性	効果に影響する 証拠なし
ベータ株 （南アフリカ）	N501Y E484K	5割程度 高い可能性	入院時死亡リスクが高い可能性	効果を弱める 可能性
ガンマ株 （ブラジル）	N501Y E484K	2倍高い可能性	重篤度に影響がある証拠なし	効果を弱める 可能性
デルタ株 （インド）	L452R (E484Q)	高い可能性	重篤度に影響がある証拠なし	効果を弱める 可能性
シータ株 （フィリピン）	N501Y E484K	高い可能性	重篤度に影響がある証拠なし	効果を弱める 可能性

表1　新型コロナの主な変異株[3]

とで感染力が変わり、ワクチンの有効性にも影響が出る。これまでに知られている主な変異株について、簡単に表1にまとめてみる。

イギリスで最初に見つかった感染力が強い変異ウイルス「アルファ株」は二〇二〇年一二月上旬に報告された。イギリスでは二〇二〇年一二月下旬に感染者数が急増したが、これはアルファ株の増加によるものと考えられている。国立感染症研究所によれば、日本国内でも二〇二一年五月下旬の段階で、全体の九〇%以上がこの変異ウイルスに置き換わっていると見られている。

南アフリカで最初に見つかった変異ウイルス「ベータ株」は、二〇二〇年五月に初めて報告され、一一月中旬に南アフリカで行われた解析では、ほとんどがこのタイプの変異ウイルスだった。日本国内では、二〇二一年五月三一日までに二八人から検出されている。

ブラジルで広がった変異ウイルス「ガンマ株」は、ブラジル北部のマナウスで二〇二〇年一二月ごろまでに出現したとされ、二〇二一年三月・四月の時点ではブラジルの感染者の八三%に上っていた。日本国内では、二〇二一年五月三一日までに八七人から検出されている。

WHO（世界保健機関）は、インドで見つかった変異ウイルスのうち、最も感染が拡大しているタイプの「デルタ株」を警戒度が最も高い「懸念される変異株＝VOC」に位置づけて監視を強化している。イギリスで見つかった「アルファ株」と比べても感染力がさらに五〇%強いとされており、インドではデルタ株が原因で二〇二一年四月ごろに爆発的に感染が拡大したとされている。日本国内では二〇二一年五月三一日までに「デルタ株」を含めて八八人の感染が確認されている。

このほかWHOが「注意すべき変異株＝VOI」に位置づけているもののうち、二〇二一年二月二五日にフィリピンから日本国内に入国した人で確認された変異ウイルス「シータ株」が注目されたが、フィリピンでもそれ以外でも大幅な拡大傾向を示しておらず「注意すべき変異株」に位置づけられている。[4]

現時点では、幸いにもワクチンを完全に無効にするような変異株は知られていないが、今後も新たな変異株が出現し続けることは確実であり、オリンピックを契機にさまざまな変異株が海外から流入してくる可能性も否定できない。

ワクチンをめぐって

二〇二一年一月に、画期的な報道がなされた。COVID－19のワクチン接種をいち早く進めていたイスラエルで、第一回接種を終えた人の感染率が五〇％も低下したのだ。[5]

その後もイスラエルでは四月二二日に新規感染者数が一年ぶりの少数を記録し、二〇二〇年六月以来はじめて死者がゼロとなった。イスラエル政府は実地データの提供と引き換えに、ファイザーから早い段階でワクチンを大量に確保し、狭い国土と保険組織「健康維持機構（HMO）」の緊密なネットワークのおかげもあって、世界で最も速やかにワクチン接種が進められた。

筆者は本企画の「二〇二〇年後半」にワクチン開発に寄与したカタリン・カリコ博士の成功

譚を記したが、この経緯はまさに「ハンガリーからの移民女性が基本原理を開発し、トルコからの移民夫婦が起業したドイツのベンチャー（とファイザー）で製造されたワクチンの効果を、イスラエルが国を挙げて検証するというネトフリ向きの胸熱ストーリー」（二〇二一年一月三〇日の筆者によるツイート）である。

二〇二一年四月の時点でファイザー製ワクチンの接種を少なくとも一回受けたイスラエル国民の割合は五九％にのぼり、六〇歳以上では九〇％、九〇歳以上では九九・一％に達している。その成果は先述の通り、感染者数と死者数の激減としてあらわれており、大半の変異株にも有効とみられている。こうしたイスラエルの成果は、ワクチンの有効性を国を挙げて実証したものとして希望につながる。政府は規制の緩和に動いており、学校が再開し、マスク着用は義務でなくなり、ワクチン接種が完了した人は、店内飲食や施設でのコンサート鑑賞なども可能になっている。[6]

新型コロナのワクチンは、イギリスでは二〇二〇年一二月八日、アメリカは一二月一四日、イスラエルは一二月二〇日から接種が開始された。この三カ国では世界最速のペースで接種が進み、新規感染者数も死者数も顕著に下がり続けている。いずれの国も、早い段階でワクチン調達に向けて動いていた。

ワクチン接種の遅れについて

それでは日本におけるワクチンの接種状況はどうだったのだろうか。

五月三一日現在、日本政府が確保しているワクチンは、ファイザー製が一億九四〇〇万回分（九七〇〇万人分）、モデルナ製が五〇〇〇万回分（二五〇〇万人分）、英アストラゼネカ製が一億二〇〇〇万回分（六〇〇〇万人分）である。ファイザー製は二〇二一年二月、モデルナ製とアストラゼネカ製は二〇二一年五月に承認されている。

五月三一日の時点での接種状況は、二月に医療従事者への先行接種が開始されて以来、九割が一回目の接種を終えた。四月一二日からは高齢者への優先接種がはじまり、一二％余りが一回目の接種を終えている。また、五月二四日からは、政府が設置した大規模接種センターが運用を開始したが、架空番号でも予約できる一方、正しい番号を入力してもエラーが起きたり勝手に予約が消えるなど、インターネット予約システムに次々と欠陥が見つかった。

気になるワクチンの副反応としては、接種部分

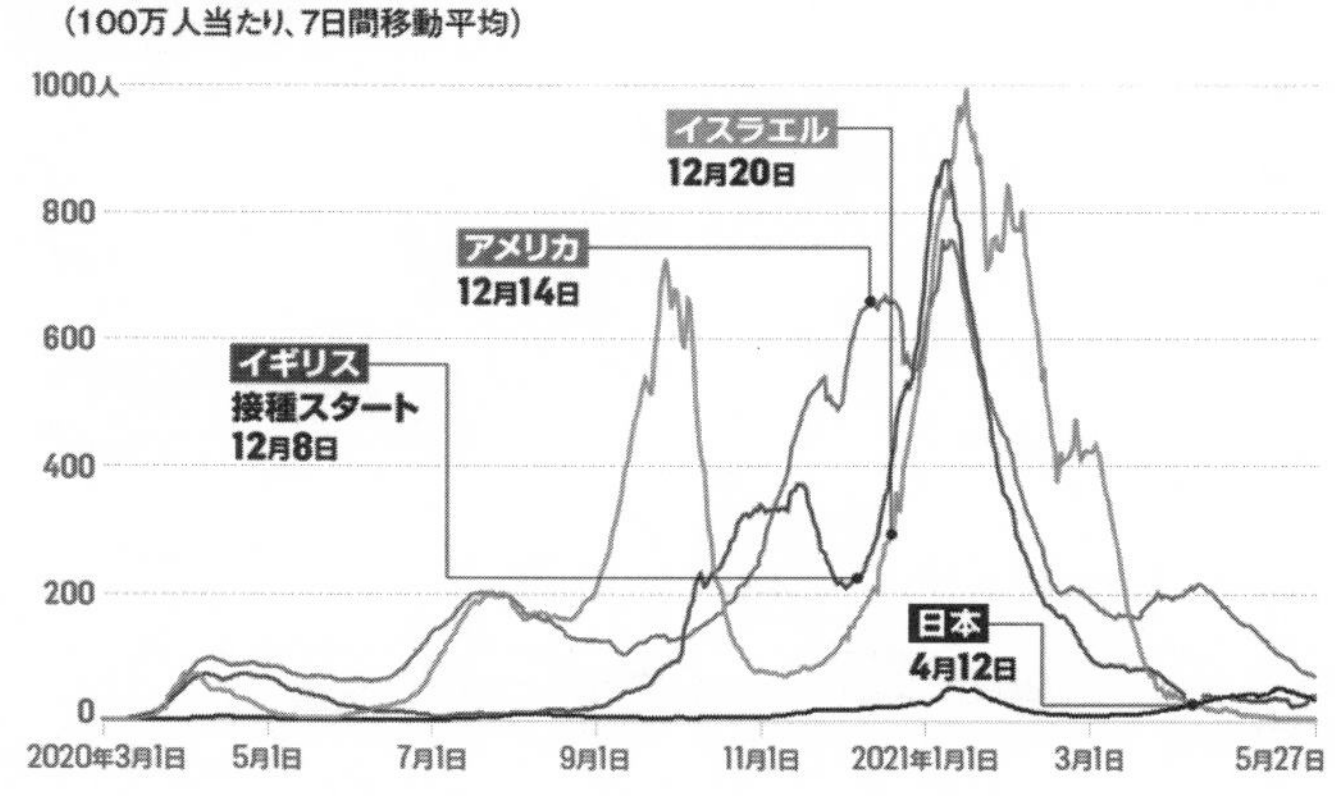

図２　各国のワクチン接種開始時期と新規感染者数[7]

の腫れや痛み、発熱、頭痛、倦怠感、筋肉痛などが報告されており、特に二回目のワクチン接種後は副反応が出やすいため、接種の翌日は休養日にすることが推奨されている。ちなみに、ここで述べたワクチンは全て二回の接種が推奨されている。これは、一回目の接種の二週間後から抗体が徐々に増え、二回目の接種で一気に増加するというワクチンの性質によるもので、二回目の接種後には感染しないだけの抗体がある程度できるとされている。また、アストラゼネカ製のワクチンは、ごくまれに血栓（けっせん）症を生じ死亡例も報告されており、因果関係は特定され

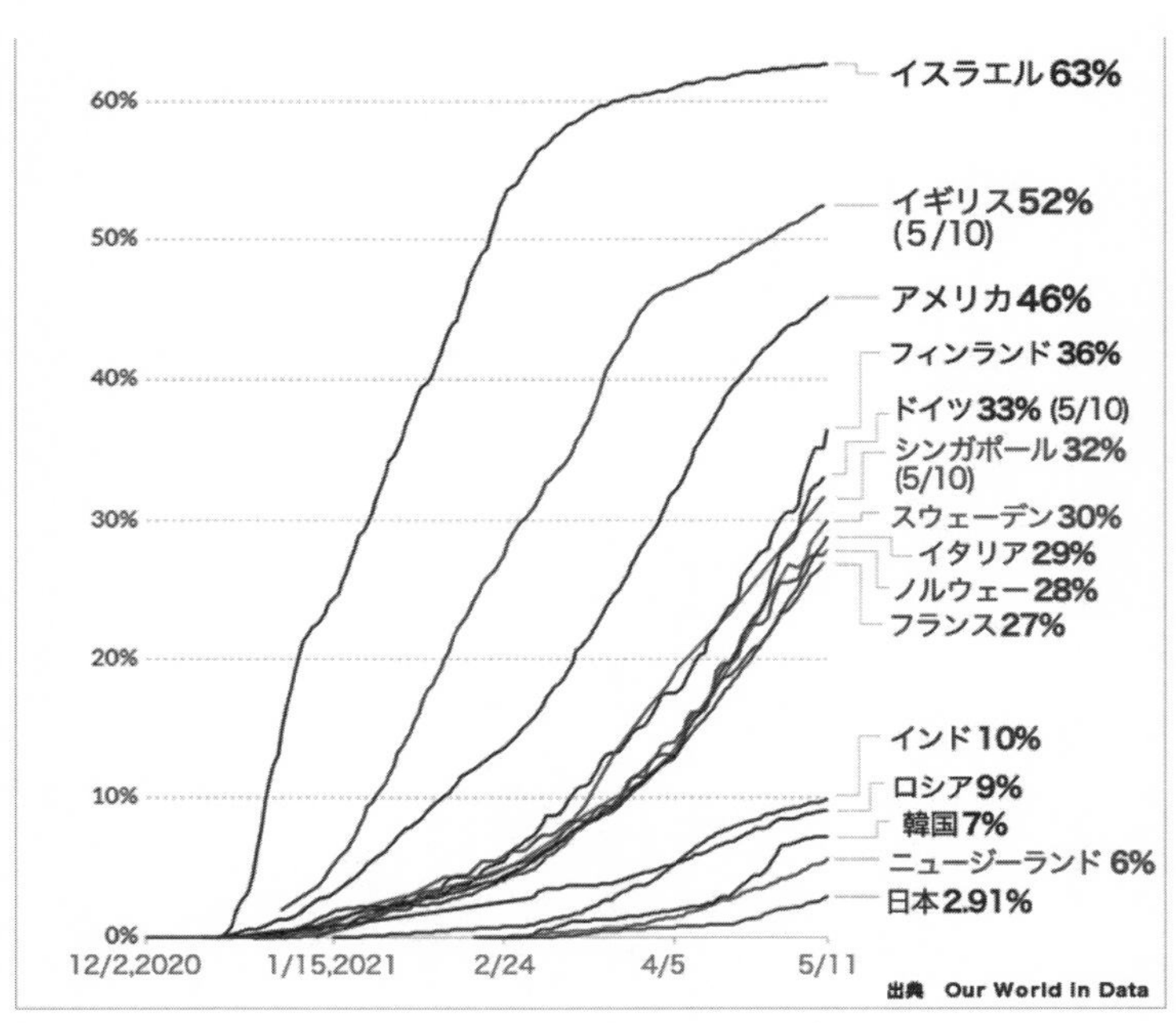

図３　各国のワクチン接種状況
（１回以上ワクチンを接種した人の割合、2021年５月11日時点）

ていないがワクチンに起因する可能性が指摘されている。

知られる通り、諸外国に比して日本政府はワクチン確保の初動がきわめて遅かった。オリンピック開催を強行しようという割には、あちこちでこうした詰めの甘さが目立ったことは否めない。

イギリスのオックスフォード大学などのグループが集計しているデータによると、五月一〇日の時点で一回目のワクチン接種を終えた人の人口に対する割合は、イスラエル六三%、イギリス五二%、アメリカ四九%だった。これに対して日本はわずか二・九一%で、この割合は世界でも一三一番目ときわめて低い。

こうした遅れはなにゆえに生じたのだろうか。

いくつかの記事からは、おおむね下記のような理由が推定されている。[8]

（1）国内ワクチンの開発が遅れるなど、調達ができなかった
（2）ワクチンの承認が遅れた
（3）ワクチン接種体制の準備が遅れた
（4）社会にワクチン忌避のムードがあった

（1）については、以下のような証言がある。

「ワクチン開発に対して欧米では二〇二〇年初頭には数兆円の予算がつぎ込まれましたが、

同じ頃、日本では一〇〇億円規模でした。開発の進捗状況はその差が出たと考えています。海外では、国を挙げたバックアップ体制のもと、開発に必要な手続きを簡略化し、臨床試験を行う施設の確保や工場の確保など国が大きく関わってきました。さらに規制当局は開発段階から審査を並行して進めることでスピードアップを図ってきました。しかし日本は『平時対応』だったのです」[9]（東京大学医科学研究所・石井健教授）

新型コロナのワクチンは、mRNAワクチンというまったく新しいタイプのワクチンであるが、実は日本でも国立研究開発法人の医薬基盤・健康・栄養研究所がmRNAワクチンの開発を進めていたという事実がある。しかし、感染症対策におけるワクチン臨床試験の予算がカットされ、一八年に計画が凍結されてしまった。日本ワクチン学会理事長の岡田賢司・福岡看護大教授は、次のように指摘している。「わが国のワクチン行政は長い間、厚労省所管の『健康部門の施策』にすぎなかった。しかし今回のコロナ禍で、日本も学んだはずだ。ワクチン開発は、産官学の力を結集して取り組むべき、重要な国家の危機管理である、と」[10]

また、(2)の承認の遅れについて言えば、日本では以前から、抗がん剤などの承認が遅れがちで、海外では有効性が実証され普及している薬が使えない「ドラッグ・ラグ」の問題があった。今回のワクチンについても同様で、イギリスでは二〇二〇年一二月にファイザー製ワクチンの接種が始まったにもかかわらず、日本で承認されたのはその二カ月後だった。これは日本国内で一六〇人を対象にして行われた追加の臨床試験の結果を待ったためと言われている。他の薬剤に比べればこれでも例外的に早い認可と言えるだろうが、感染拡大状況下の話としては、なんとものんびりしたペースと批判されても仕方がないであろう。

（3）の接種体制という点については、例えばイギリスは二〇二〇年四月の時点でワクチン接種のタスクフォースを立ち上げ、ワクチンの開発や確保、会場の確保やボランティアの募集、接種対象者のグループ分けと予約システムの整備をいちはやく進めていた。しかし日本では、これらのあらゆる局面で対応が後手に回ってしまった。同じ時期に安倍政権が「Go To トラベル」キャンペーンに血道を上げていたことを思えば、彼我の危機感の差は歴然としている。ワクチン接種がはじまってからも、マイナンバーを使った一元的なワクチン接種の管理や記録などは望むべくもなく、実施の方針は各自治体任せにしたため、ワクチン供給量の見通しが持てない多くの自治体が困惑するという事態も生じた。

（4）のワクチン忌避という点について言えば、日本には、一九七〇年代に天然痘による副作用をめぐる集団訴訟があり、一九九〇年代には、麻疹（ましん）、おたふくかぜ、風疹（ふうしん）の三種混合ワクチンが、小児無菌性髄膜（ずいまく）炎の原因と指摘されて任意接種に切り替えた経緯がある。さらに、子宮頸（けい）がんを予防するＨＰＶ（ヒトパピローマウイルス）ワクチンも、海外ではその有効性が実証されつつあるにもかかわらず、日本では副反応を巡る集団訴訟に発展し、後述するようにマスコミも大きく取り上げたため、厚生労働省（以下、厚労省）が積極的な摂取推奨を取り下げている。こうした一連の経緯から日本の社会には一貫してワクチン忌避の空気が存在し、これが政府の消極的姿勢に影響を及ぼした可能性は否定できない。

反ワクチン報道について

現時点でコロナ禍終息の鍵を握っているのは、ワクチンの存在であることは疑いを容れない。しかし残念なことに、日本には一定数の反ワクチン、ないしワクチン懐疑派が存在する。ワクチン接種開始後も、ワクチンが「人口削減のため生物兵器」「ヒトDNAを改変する」「接種すると不妊になる」「5GやBluetoothに接続される」といった荒唐無稽な陰謀説が、著名人や政治家によってまことしやかに流布されたりもした。ただし本稿は「医学」分野を取り扱うため、誰の主張であろうと科学的根拠に基づかない反ワクチン論については、これ以上深く立ち入ることはしない。

筆者は大学では公衆衛生教育に関わる立場でもあり、ワクチンが歴史上最も多くの人命を救ってきた医療技術の一つであることを確信している。他の医療技術と同様に、副反応などのリスクをはらんではいるものの、コロナ禍を抜け出す可能性はワクチン接種率を向上させて集団免疫を確立すること以外には考えにくい。もちろん反ワクチンは個人の信条の自由としては許容されるべきだが、マスコミや専門家が反ワクチンを喧伝することは控え目に言って好ましいことではなく、本音を言えば犯罪に等しいと考えている。

なぜか日本のマスコミは、しばしば「反ワクチン」ないし「ワクチン懐疑派」の立場をとりがちだ。典型的だったのが、二〇二一年一月の、一連のワクチン報道だった。まずは「毎日新聞」である。「オリコンニュース」一月二〇日付の「新型コロナワクチン、六割超『受けたくない』女子高生一〇〇人にアンケート」という記事[11]を「毎日新聞」が自社アカウントで引用ツイートをして批判が殺到し、当該ツイートはただちに削除された。奇しくも同日、「デイリー新潮」が「コロナワクチンを『絶対に打ちたくない』と医師が言うワケ」なる記事を掲載したところ、取材対象の医師や学者から発言をねじ曲げられたと抗議され、この記事も削除されている。また雑誌「AERA」一月二五日号の広告に掲載された「医師の本音『いますぐ接種』3割」という見出しを紹介したツイートにも批判が殺到し、担当編集者の釈明ツイートがさらに火に油を注ぎ、この記事もタイトル修正を余儀なくされた。

欧米メディアの報道を見る限りは、リスク・ベネフィット（利益と不利益）の客観的な評価はしているが、医師や女子高生へのアンケートに基づいたワクチン批判の報道は寡聞にして知らない。ワクチンの評価は科学的になされるべきで、「接種したいと思うかどうか」といった情緒的反応に情報価値はないのだから当然である。

筆者はこうしたマスコミの反ワクチンの姿勢の背景には、「反HPVワクチン報道の成功体験」があると考えている。HPVワクチンは、子宮頸がんの原因となるヒトパピローマウイルス（HPV）の感染を予防するワクチンである。二〇二〇年、スウェーデンのカロリンスカ研究所の研究グループが行った大規模調査の結果[12]によれば、HPVワクチンを接種していた群では子宮頸がんの発症リスクが、接種していなかった群よりも六三％低くなっていた。これはHPVワクチンが子宮頸がんの予防に有効であることを示す最初のエビデンスとなった。

先進諸国でのHPVワクチン接種率は六〇～八〇％である。ところが日本だけ一％に満たない状況が長く続いた（最近の統計でようやく二〇％まで回復したようだが）。この結果、将来先進国では日本でのみ子宮頸がん患者が増え続けるだろうという不吉な予測がなされている。

ＨＰＶワクチンについては、その副反応（慢性疲労や長期間持続する疼痛など）について、まず「朝日新聞」が大きく報じ、その後マスコミ各社でセンセーショナルな報道がなされた結果、厚労省による積極的な勧奨が差し控えられたという経緯がある。接種率が激減したのはこれが主たる理由とされている。

しかし筆者は、ワクチン接種との因果関係が安定的に実証されていない副反応の存在を理由に、接種そのものを勧奨しないことのリスクを大いに懸念している。国際的にも日本だけがワクチン後進国になってしまった最大の責任はマスコミが負うべきである以上、私は彼らがＨＰＶワクチンの失敗体験に学ぶことを期待していた。しかし彼らは、報道内容の正当性よりも、「報道が政府の方針に大きく干渉し得た」という点で、あれを成功体験としてとらえているらしい。さすがにその後、露骨な反コロナワクチンの報道はなりを潜めたかに見えるが、まだそうした気分が完全に消えたわけではない。

もちろん私も、ワクチン接種を全国民に強制せよ、とまでは思わない。ただ為政者が繰り返し国民に語りかけ、ワクチンの効能を説明し、その接種を勧奨することはぜひ続けてほしいと考えている。私たち医療関係者には、反ＨＰＶワクチンキャンペーンを阻止できなかったという強い後悔がある。あの失敗を二度と繰り返さないためにも、根拠薄弱な反ワクチン報道に対しては徹底批判を辞さない姿勢でなりゆきを注視している。

（二〇二一年七月一一日）

注

1 「【国内感染】新型コロナ 四九人死亡 二八七七人感染確認」（ＮＨＫ ＮＥＷＳＷＥＢ、二〇二一年五月三〇日）
https://www3.nhk.or.jp/news/html/20210530/k10013059271000.html

2 「新型コロナウイルス、現在の感染者・死者数（三〇日午後七時時点）死者三五三・五万人に」（ＡＦＰＢＢ Ｎｅｗｓ、二〇二一年五月三一日）
https://www.afpbb.com/articles/-/3349195

3 https://www.mhlw.go.jp/content/10900000/000793728.pdf 参照

4 ＮＨＫ特設サイト 新型コロナウイルス
https://www3.nhk.or.jp/news/special/coronavirus/newvariant/

5 https://www.timesofisrael.com/israeli-data-shows-50-reduction-in-infections-14-days-after-first-vaccine-shot/

6 「イスラエル、コロナ死者がゼロに ファイザー製ワクチンの効果『証明』」（Ｆｏｒｂｅｓ ＪＡＰＡＮ、二〇二一年四月二七日）
https://forbesjapan.com/articles/detail/41090

7 「グラフに表れる、イギリス・イスラエル・アメリカ大規模ワクチン接種の効果」（ニューズウィーク日本版、二〇二一年六月三日）

https://www.newsweekjapan.jp/stories/world/2021/06/post-96434.php

8 「ワクチン接種 なぜ日本は遅い?【前編】【後編】」(ＮＨＫ ＮＥＷＳ ＷＥＢ、前編が二〇二一年五月一三日、後編が五月一四日)
https://www3.nhk.or.jp/news/html/20210513/k10013026071000.html

9 https://www3.nhk.or.jp/news/html/20210514/k10013026081000.html

10 https://www.yomiuri.co.jp/medical/20210413-OYT1T50210/

11 https://web.archive.org/web/20210120100733/https://www.oricon.co.jp/news/2182311/full/

12 Lei J. et.al.:HPV Vaccination and the Risk of Invasive Cervical Cancer.N Engl J Med,383(14):1340-1348,2020

［貧困］

貧困の現場から見えてきたもの　3

雨宮処凛

雨宮処凛（アマミヤ・カリン）

一九七五年、北海道生まれ。作家、活動家、フリーターなどを経て、二〇〇〇年に自伝的エッセイ『生き地獄天国』（ちくま文庫）でデビュー。〇六年からは貧困問題に取り組み、『生きさせろ！ 難民化する若者たち』（ちくま文庫）はＪＣＪ賞（日本ジャーナリスト会議賞）を受賞。著書に『「女子」という呪い』（集英社クリエイティブ）、『非正規・単身・アラフォー女性』（光文社新書）、『ロスジェネのすべて　格差、貧困「戦争論」』（あけび書房）、対談集『この国の不寛容の果てに　相模原事件と私たちの時代』（大月書店）、『相模原事件裁判傍聴記　「役に立ちたい」と「障害者ヘイト」のあいだ』（太田出版）など多数。最新刊は『コロナ禍、貧困の記録――２０２０年、この国の底が抜けた』（かもがわ出版）。

「臓器が売れるところを教えてほしい」（七〇代、タクシー運転手）
「時短協力金が四カ月経っても振り込まれない。闇金に手を出すしかないと思っている」（お好み焼き店の店主）

これらは、二〇二一年六月一二日に開催された「コロナ災害を乗り越える　いのちとくらしを守るなんでも電話相談会」に寄せられた声だ。

昨年四月に第一回が開催され、以来、二カ月ごとに行われてきた無料の電話相談会。全国の弁護士、司法書士、支援者らが電話を受けるこのホットラインで私も一回目から相談員をつとめてきた。

第一回目に寄せられた相談は、「仕事を切られた」「シフトを減らされた」「休業に関する補償がない」など仕事に関するものが多かった。しかし、時が経つにつれ、相談内容は「生活苦」に変わっていった。住宅ローンが払えない。家賃を滞納している。電気やガス、携帯がすでに止まっている／もうすぐ止まる。税金や保険料が払えない。特例貸付や給付金などを上限まで利用し尽くしたが、万策尽きた。すでに残金が一万円を切っている、等々。

そして六月。とうとう「臓器」や「闇金」といった言葉が電話口から漏れ聞こえるようになったのだ。

同日、私が受けた電話の相手は「今から死ぬ」「すでにクローゼットに首吊りの用意がしてある」と口にした。二〇代の女性だった。

もう、何もかもが限界である。電話相談が一年と二カ月で受け止めた悲鳴は、約一万人にのぼる。

生活の「緊急事態」に見舞われた人たち

ここから、二〇年一二月から二一年六月までを振り返りたい。

まずは年越し。この年末年始は私にとってもっとも過酷なものとなった。一日の休みもなく、連日、野外や教会の相談会で相談員をしていたからだ。日程を振り返ると以下のようになる。

一二月二九日　年越し支援・コロナ被害相談村（大久保公園）
一二月三〇日　年越し支援・コロナ被害相談村（大久保公園）、夕方は池袋のTENOHASIで配食手伝い（東池袋中央公園）
一二月三一日　東池袋中央公園にて臨時相談会
一月一日　横浜・寿町の炊き出しのあと、四谷の「年越し大人食堂」（イグナチオ教会）
一月二日　年越し支援・コロナ被害相談村（大久保公園）
一月三日　四谷の「年越し大人食堂」（イグナチオ教会）

元旦の「年越し大人食堂」には二七〇人、一月三日には三一八人が訪れた。家族連れや女性の姿が目立ち、外国人も多かった。私が相談を受けただけでも、外国籍の方はイランやナイジェリア、エチオピア、ベトナムなど。全員が仮放免、もしくは短期ビザ。就労が禁止されているので働くことができない状態だが、生活保護など公的福祉の対象にもならず、制度の谷間に落ちている外国人たちがやはり困窮を極めていた。保険証もなく病院に行けないため、医療相談には長い列ができていた。

一方、「コロナ相談村」には三日間で三四四人が訪れた。この「村」を開催したのは、〇八年の「年越し派遣村」を支えたメンバーら。主に労働組合関係の有志たちだ。東京の新宿・大久保公園で開催されたのだが、ここは都内有数の繁華街・歌舞伎町。飲み屋だけでなく、ネットカフェがひしめき、またセックスワークの女性たちも多い場所だ。そんな大久保公園の隣には、「チャレンジネット」がある。この建物の隣というのが、大久保公園が選ばれた理由だ。

年末年始、東京都は住まいのない人のため、一日一〇〇〇室のホテルを開放すると発表した。が、やはり昨年四月の緊急事態宣言の時と同じで、広報もあまりなく、どこに行けばホテルに入れるかわかりづらい。それならば隣の大久保公園で相談会をし、ホテル利用の窓口であるチャレンジネットに繋げようという目的で「コロナ相談村」は開催されたのだ。もちろん、ホテル宿泊だけでなく、労働相談や生活保護申請（新宿区などでは年末年始も開庁していたので申請もできる）、その他の相談を受けつける。ホテル宿泊は一月四日で終わってしまうので、四日以降、行き場のない人が公的支援に繋がる体制も作られた。

そんなコロナ相談村に訪れた人々も「限界」を迎えていた。

大久保公園に案内する途中、「心臓が痛い」と動けなくなり、救急車で緊急搬送された野宿生活の六〇代男性はそのまま入院となった。宿泊施設を経営している男性もいれば、コロナで仕事を切られ、残金わずかとなり、生活保護申請しようか迷っているという若い男性も訪れた。アパートに住む彼は、後日、生活保護を申請した。

一方、すでに住まいがないという人には、東京都がホテルを開放していることを伝えた。やはり、多くの人がその情報を知らず、極寒の野外ではなく、個室のベッドで寝られることを喜んだ。

「この日が初野宿」を覚悟していた五〇代の男性もその一人だ。コロナで仕事がなくなり、住まいも失った元経営者（警備関係）。ネットカフェやカプセルホテルを点々としてきたものの、所持金が一〇〇〇円を切り、「今夜が生まれて初めての野宿になる」という彼にホテルに入れることを伝えると「本当ですか？」と何度も口にした。しかし、この日は一月二日。

泊まれるのは一月四日までで、その日の朝には出されてしまう。そうなれば、路上生活は免れない。「とにかく、一度生活保護を申請して住まいを確保しませんか。そうすれば仕事も決まりやすいと思いますよ」。何度説得しても、男性は「生活保護だけは嫌だ」と首を横に振り続け、言った。「一月四日の仕事はじめの日、付き合いのある仕事先に電話してみます」。しかし、その男性の携帯は止まっているのだ。

年末年始は、相談会の情報を伝えるべく、上野駅周辺や東京駅を回って、ホームレス状態と思われる人々に声をかけた。元旦の夜、東京駅の地下街のベンチには、老若男女が一定の距離を取りながらベンチに座っていた。その誰もが路上生活になりたてとわかる状態で、一人ひとりに声をかけ、相談会のチラシを渡した。めでたいはずのお正月、たった一人、地下街のベンチで過ごさざるを得ない人々がいる。

コロナ禍で危機に瀕する女性たち

年末年始から一月にかけて、新型コロナの新規感染者は連日、過去最多を叩きだした。大晦日、東京の新規感染者は一三三七人となり、一月八日には二三九二人となった。

コロナ相談村を訪れた三四四人のうち、六二人が女性だった。実に一八%。しかも六二人のうち、すでに二九%が住まいがなく、二一%が所持金一〇〇〇円以下、四二%が収入ゼロ円という状態だった。

これは、見えていないだけで、おそらく過去にない規模で「女性のホームレス化」が起きている——。そう直感した。

ちなみに、一三年前の年越し派遣村を訪れたのは五〇五人。うち女性はわずか五人、一%に過ぎなかった。この一三年で、この社会からは「女性を守る余力」すら失われたのである。

そんな状況を受けて開催されたのが、「女性による女性のための相談会」だ。

その名の通り、スタッフ、ボランティア全員女性という体制で、女性の相談を受けるという取り組みだ。

一年以上に渡るコロナ禍で、多くの支援者が「女性への配慮の必要性」を感じていた。例えば、野外の相談会のみならず、炊き出しにはコロナ以前は滅多に見なかった女性が多く並んでいる。が、そのような場所に女性が来ると時に目立ってしまい、取材者に多く声をかけられることもある。一方、相談会の現場にカメラなどがあることに気づき、帰ってしまった女性もいた。また、相談に来る女性の中にはDVや虐待の被害者もいる。そのような女性は男性弁護士や支援者への相談に抵抗を感じることもある。「女性の弁護士はいませんか？」と聞かれたこともあった。

それだけではない。年末年始の相談会には家族連れで訪れる人も多かったが、そのような場合、女性は子どもや夫のことを優先してしまいがちだ。食べ物や衣類の配布があっても、自分のことは後回しにしてまずは子どもや夫のものが優先されてしまう。また、生理用品などが欲しくても、男性支援者には言いづらいという現実もある。

このようなニーズから企画した「女性による女性のための相談会」は三月一三日、一四日に大久保公園で開催された。外から見えないように目隠ししたテントの中心にはカフェスペースを設け、その周りには野菜やお花を自由に持ち帰れる「マルシェ」（市場）を設置。衣類や生理用品なども無料配布した。そんなテントには生活、労働、心とからだ、法律などの相談ブース。私も相談員をしたのだが、二日間で一二二人が訪れた。

来てくれたのは二〇代から八〇代まで。もっとも多かった相談は「仕事がない」など仕事のこと。ついで「心とからだ」「家庭・家族」「ハラスメント」と続く。そのほか、DV問題や、住まいがないなどの相談、親からの虐待、借金、離婚などの相談が寄せられた。

年代別では一番多かったのは五〇代、ついで四〇代、三〇代。二〇代も一〇人いた。「心とからだ」の相談の中には「生理が遅れている」というものもあり、支援者が付き添って妊娠検査薬で確認したところ、妊娠が判明したケースもあった。ネットカフェで暮らしているという女性は、その場で泣き崩れたという。

そんな話を聞いて思い出したのは、一八年に起きたある事件。二五歳の女性が漫画喫茶で出産し、赤ちゃんが声をあげたので周囲にバレると思い殺してしまったという事件だ。女性は死体遺棄の疑いで逮捕。痛ましい事件だが、この一五年間、貧困の現場を取材する中、同様の事件は何度も耳にしていた。

そんな事件が起きるたび、女性は顔と実名を晒され、大きなバッシングを浴びる。しかし、そのたびに、思う。

たった一人、住まいもお金もないまま大きくなっていくお腹を抱え、たった一人、ネットカフェの個室で出産するなんて、どれほどの恐怖だったろうと。なぜ、妊娠させた男性の方はいつも話題にさえのぼらないのだろうと。女性がそこに至るまでにどれほどの裏切りや仕打ちを受け、どれほどの性搾取に晒されてきたかを思うと胸が痛む。しかし、そのような女性へ向けられる視線は常に厳しい。

相談会で妊娠が判明した女性について、詳しいことは書けない。が、彼女にもいろいろなことがあって歌舞伎町のネットカフェに辿り着いていた。現在は、女性支援者が寄り添い、さまざまなケアをしている。

三年のホームレス生活から脱却した女性

さて、この相談会をきっかけに、二人の女性の生活保護申請に同行したので紹介したい。

一人は昨年春にコロナで失業し、以来、短期の仕事をしてきたもののそれもなくなり、所持金が一万円ちょっとになったという女性。収入のあてもなく、このままだと家賃やライフラインを滞納し、携帯も止まることが予想されたため、後日、役所に同行。コロナさえ収束すればすぐに仕事が見つかり、おそらく生活保護もスムーズに「卒業」できるだろう。

もう一人は、三年前から住まいがないという女性。日雇いなどで食いつなぎ、ネットカフェに泊まったり、お金のない時は野宿してきたという。都内の炊き出しで声をかけて相談会に案内したこの女性、今晩泊まる場所もないということで、その日空いていた役所で急遽生活保護申請。その日から一カ月ホテルに泊まれることとなり、その間にアパート探しをする流れになった。

「夢みたい」「誰も助けてくれないと思ってた」

ホテルに向かう道すがら、荷物をたくさん抱えた彼女は何度もそう呟いた。女性がたった一人で三年にもわたって家がない生活を送るということは、どれほどの苦労と隣り合わせだっただろう。

二人とも、コロナ禍の一年間の、ある意味で「典型的」なケースだった。

これまで「貧困と無縁」だと思っていた非正規女性（しかし、生活はギリギリだった。が、それが常態で周りもそうなので貧困と気づかなかった）が、コロナによって急激に収入がダウン、わずかな貯金も尽き、生活費にも事欠くようになったパターン。野村総合研究所の試算によると、二一年二月の時点でシフトが半分以下になり、休業手当も出ていないパート・アルバイト女性は一〇三万人にものぼるという。

ずっと住まいがなかったという人とも、この一年で多く出会った。ネットカフェ暮らしが数年単位で続いていたものの、自分が公的支援の対象だとは夢にも思わず、「自力でなんとかしなければ」と思っていた層だ。そんな人たちがコロナで日雇いの仕事もなくなり、所持金も尽きたところでSOSを求めてくる。これまでリーチしたくてもできなかった層だ。

そんな彼ら彼女らの多くは、コロナ禍というピンチをチャンスに変えるようにして数年ぶりに「家のある生活」に戻った。生活保護を利用してアパート転宅ができたのだ。もし、何もなければ、この先何年間もネットカフェ暮らしだっただろう人たちが、コロナ禍によってやっと支援に繋がったという例だ。

その他にもいろんなケースがあったが、女性の場合、「生活問題」「労働問題」と割り切れないものが多い印象を受けた。ある一人に、仕事の問題と子どもの問題、離婚とDVと借金、自身の病気、そして役所とのトラブルが重なっているという状態だ。これが夜の仕事の女性になると、店とのトラブル、不払い、借金、男性とのトラブル、住まいがない問題、自身の病気といった具合になる。一人の人間に五つや六つの問題が複合的に発生している状態で、それを一つひとつ、解きほぐしていくところから相談は始まる。

扶養照会見直しの声が届いた

そんな三月末、ある大きな動きがあった。

それは厚生労働省（以下、厚労省）からある通知が出たことだ。その通知とは、扶養照会に関するもの。

生活保護を申請すると、福祉事務所から親などに「あなたの息子さんが生活保護の申請に来ていますが面倒をみられませんか」という連絡が行くのだが（DVや虐待がある場合は免除）、これが嫌で生活保護申請を渋る人は実に多い。扶養照会が「最後のセーフティネット」の利用を阻む大きな壁になってしまっているのだ。

そんな扶養照会をして、実際にどれほど援助がなされているかというと、〇〜一％といったところ。ほとんど意味がないのだ。よって「生活保護問題対策全国会議」や困窮者支援をする「つくろい東京ファンド」は、扶養照会の見直しを求める署名を提出するなどしてきた。その甲斐あって、三月三〇日、本人が扶養照会を拒んでいる場合は、ていねいに聞き取りをし、親族が「扶養義務履行が果たせない者」に該当するか否かという観点から検討するよう求める通知が厚労省から出たのだ。

これは大きな前進である。欲を言えばもう一歩踏み込んで、「本人が了承している上、扶養が期待できる場合に限って扶養照会をする」としてほしいが、それでも通知が出たことの意味は大きい。年末年始、「つくろい東京ファンド」が行ったアンケートによると、生活に困っていても生活保護を受けていない人の三人に一人が「家族に知られたくない」と回答していたのだ。

ちなみにこの扶養照会、一月頃から国会でも取り上げられ、大きな話題になっていた。だからだろう。三月、女性二人の生活保護申請に同行した際、どちらのケースも役所側から「今、扶養照会が話題になってますけど、本人が嫌がる場合は無理にはしませんから」という言葉が出てきたのだ。これには驚いた。社会的関心が高まることが現場を変えるという実例を見た思いだった。

そんな嬉しいことがありながらも、三月、厳しい現実を突きつけられた。

警察庁と厚労省が二〇年の自殺者の確定値を発表したのだ。

それによると、自殺者は二万一〇八一人と一一年ぶりに増加。女性は前年と比較して九三五人増え、七〇二六人となった。一一年ぶりとは、リーマンショック後の〇九年ぶりである。

そして支援の現場は今も野戦病院がごとし

都内の炊き出しに目を転じると、並ぶ人々は今も増え続けている。

例えばコロナ以前、並ぶ人数は一〇〇人以下だった都庁前の食品配布（新宿ごはんプラスともやいの共催。毎週土曜日）には、今や毎週三〇〇人を超える人々が並んでいる。一方、コロナ以前はやはり一五〇人ほどだった池袋のＴＥＮＯＨＡＳＩの配食には、四〇〇人近い人が並ぶようになっている。

五月三日、五日に開催された「大人食堂」には、二日合わせて六五八人が訪れた。やはり女性や家族連れ、外国人の姿が目立った。中にはベビーカーを押した母親の姿もあった。

貧困問題に取り組む四〇団体ほどで結成され、メール相談を受け付けている「新型コロナ災害緊急アクション」には、二〇年四月より七〇〇件以上のSOSが寄せられている。連日支援者たちは「所持金がもうない」「路上生活で携帯も止まっていて三日食べていない」などの声に駆けつけている。メールの差し出し人のほとんどが二〇～四〇代。女性も二、三割。昨年末くらいから、相談メールで直接「自殺」に言及する人が増えた。

二〇年三月に立ち上げた「緊急ささえあい基金」にはすでに一億円以上の寄付金が寄せられ、これまで二〇〇〇件に六〇〇〇万円以上を給付してきた。緊急の宿泊費や食費、生活費だ。民間の団体がこれほどの額を給付していること自体、異常である。

最近、支援者仲間から信じがたい話を聞いた。

住まいを失い、公園で寝泊まりしている外国人男性の話だ。彼は公園にいたところを何者かに襲撃されたという。それを見ていた人が救急車を呼び、病院に運ばれたものの、病院側は外国人の彼に在留資格がなく、「仮放免」という立場でホームレス状態であり医療費が回収できないとわかると、応急処置をしただけで彼を車に乗せ、もといた公園まで連れていき、ベンチに置き去りにしたのだという。頭蓋骨が陥没し、片足が麻痺するほどの重症だったにも関わらず、だ。

外国人だから、ホームレスだから、お金がないから、そんな扱いをされる。瀕死（ひんし）の重症を負っても、「お前なんか知らない」とばかりに放り出される。

彼は現在、支援団体につながり、シェルターに住むことができている。ここまでひどくなくても、似たような話はゴロゴロ転がっている。

さて、七月には、また女性の相談会が開催される予定だ。二日間にわたり、相談員をつとめる予定である。

コロナ禍が始まって、一年半。野戦病院状態がずっと続く支援の現場で、支援者たちも私も、ほとほと疲弊しきっている。

［ジェンダー］

コロナ禍とジェンダー 3

上野千鶴子

上野千鶴子（ウエノ・チヅコ）

一九四八年生まれ。京都大学大学院社会学博士課程修了。東京大学社会学博士、平安女学院短期大学助教授、京都精華大学助教授、コロンビア大学客員教授、メキシコ大学院大学客員教授などを歴任。一九九三年に東京大学文学部助教授、九五年に東京大学大学院人文社会系研究科教授、二〇一二年−一七年に立命館大学特別招聘教授。現在、東京大学名誉教授、認定ＮＰＯ法人「ウィメンズアクションネットワーク（ＷＡＮ）」理事長。専門は、女性学、ジェンダー研究、ケア研究。著書に、『近代家族の成立と終焉』（岩波書店）、『上野千鶴子が文学を社会学する』（朝日新聞社）、『差異の政治学』（岩波書店）、『家族を容れるハコ 家族を超えるハコ』（平凡社）、『ケアの社会学』（太田出版）、『おひとりさまの老後』（法研）、『おひとりさまの最期』（朝日新聞出版）、『在宅ひとり死のススメ』（文春新書）、『女の子はどう生きるか』（岩波ジュニア新書）など多数。

一二月二四日

東京都ではじりじりと感染者数が増大している。連日五〇〇人を超す勢いで、このままだと一〇〇〇人のレベルに達しそうだ。一二月三一日には一〇〇〇人を超して一三三七人に。年末年始の移動を考慮に入れて一二月二八日からGoToキャンペーンは全国一斉停止に入った。遅きに失すると政府に不満が集まる。

この日発表された内閣府の「第二回 新型コロナウイルスの感染後の影響下における生活意識・行動の変化に関する調査」でおもしろい結果が出た。[1] 一二月一一日から一七日にかけて全国約一万人を対象としたもの。テレワーク実施率は平均で二一・五%、年収別でみると最上位一〇〇〇万円以上で五一・〇%と平均の約二倍。年収水準とテレワーク実施率はみごとに相関している。ついに「オンライン階級」ということばが登場した。オンライン化できない仕事をしている人たちを「エッセンシャルワーカー」と呼ぶそうだが、だからといって彼らの処遇が改善されるわけではない。多くの論者は情報格差によってはさみ型の格差拡大(先に行くほど格差が拡がる傾向、K字型ともいう)が生まれると予測するが、すでにそれは起きている。

おもしろいのは「感染拡大を機に、夫婦の家事・育児の役割分担が変化」したと答えた男性が二五・七%、現在もその変化が継続しているのが一六・三%、戻ったが九・四%。立命館APU学長の出口治明(はるあき)さんが笑えるエピソードを紹介していたが、コロナ休業で家にいるが居場所がない、とこぼす男性に対して、ある女性がこう答えたという。「あなた、会社に貢献しないと会社に居場所がないでしょ。家庭も同じ」と。今後のテレワーク実施希望を聞くと、実際の実施率より高く、全体で三六・七％が希望、実施中の就業者は八八・〇％が継続を希望している。いったんテレワークを中止した就業者も六五・八％が再開を希望。なんだ、できるじゃないか、ということがわかれば、あの通勤地獄はいったい何だったんだということになる。家に滞留する時間が長くなれば、家族が何をしているかいやでも目に入るし、何もしないわけにはいかない。この変化が後戻りしなければいいが。

一月七日

都内の感染者連日一〇〇〇人超、一月七日には二〇〇〇人を超えた。六日には全国で五〇〇〇人超、一日あたり最多記録となる。あきらかに第三波の襲来である。変異ウイルスが検出され、コロナ禍は新しいステージに入った。医療逼迫、医療崩壊の声が聞かれるようになった。政府は新たな「緊急事態宣言」を決定。だが慣れと疲れからか、人流は減らず、宣言の効果は薄い。入院調整がうまくいかず自宅待機中の患者から死者が出る。

一月二六日

新型コロナ感染者対策として感染症法改正案が国会に提出。感染症対策の協力要請に従わない場合、具体的には入院の措置に従わなかったり、入院先から逃げた場合、「一年以下の懲役または一〇〇万円以下の罰金」という刑事罰を課すという政府案が示された。この日国会では立憲民主党の辻元清美議員が菅総理を相手に質問に立ち、「保健所の職員からは、感染者を告発する立場、犯罪者にする立場に立たされるのは耐えられない」（議事録より）という声があると。翌二七日には全国保健所長会から「感染症改正（案）についての意見」が提出され、次のように述べる。「保健所は住民に寄り添い、住民の健康と命を守る使命をもって業務を行っているが、もし罰則を振りかざした脅しを行うことにより住民の私権を制限することになればアンビバレンスと言わざるを得ず、職員の気概も失われ、住民からの信頼関係を築くことは困難になり、住民目線の支援に支障をきたす恐れがある」[2]

審議の過程で、結局刑事罰は削除、罰金は「五〇万円以下の過料」に。与党が野党の主張をすんなり呑んだかっこうだ。国会論議はムダではない。

一月三〇日

一月四日にはイギリスでアストラゼネカ製のワクチン接種が始まった。ジョンソン首相が率先して接種し、コロナ感染最低国イギリスはいちやくワクチン先進国になった。次いでドイツのファイザー、アメリカのモデルナと短期間に認可が下りる。この日、EUは域外へのコロナワクチン輸出を許可制にした。外国にワクチン供給を頼るしかない日本のワクチン後進国ぶりを世界に示した。一年前の今頃、東京オリンピック・パラリンピック（以後東京五輪と略称）の一年延期を決定するにあたって、「ワクチンは一年以内にできます」と根拠のない妄想を口にしたのはどこのだれだったか。それ以前から指摘されていた日本の医薬行政の非効率、新薬開発の民間任せ、感染症対策の不備が、こうやって露呈される。日本は国民の健康の安全保障すら確保できない国なのだ。

二月四日

森喜朗・東京五輪組織委員会会長が、女性差別発言で謝罪会見。「女性のいる会議は長い」と発言。周囲からは笑いが起きたという。オリンピックの理念は「多様性と包摂」。それに反する発言を東京五輪開催のトップがしたとIOCも不快感を示した。IOCも周囲も謝罪で収束しようと図ったようだが、逆ギレした謝罪会見で火に油を注いだ。「うちの女性理事はわきまえておられる」という森発言を逆手にとって「#わきまえない女」のキャンペーンや森会長の辞任を求める署名活動などオンラインアクティビズムが火を噴いた。森氏というかつて総理大臣職にあった権力者を辞任に追い込んだのは、オリンピックがらみの「外圧」があったからだという説があるが、それだけではない。「やれやれ」「またか」の無力感を押し戻した、若い女性を中心とした国内世論が彼を辞任に追い込んだ。大メディアからスポーツ紙まで、女性ジャーナリストの発信力も大きかった。不気味だったのは、わずかな例外を除いて、スポーツ界のみごとな沈黙である。このわたしもふだん縁のないスポーツ紙から取材を受けたが、アスリートに取材を申しこんでもほとんど断られたという。現役アスリートが、どれほど利権とカネの五輪政治に巻きこまれているかを示すものだろう。

森氏が関係する日本ラグビー協会の「初の女性理事」だった稲沢裕子さんは「それは私のことだ」と朝日新聞のインタビューに応じて、「男社会の中で女性は自分だけという場が多く、笑うしか選択肢がなかった」と答えた。[3] SNSには「自分にもわきまえ癖がついていた、反省した」という声もあった。こんなことばを女性は痛みなしに口にすることができない。同じような場にいて、その場でひきつった笑いに同調し、あるいはもやもやを飲み込み、言い返せなかった自分に対する怒りや悔しさがどの女性にもたまっているからだ。森問題は、たんに笑いで同調した組織委の体質だけでなく、沈黙で答えたスポーツ界の体質だけでもなく、多くの女性の足元にある経験を呼び起こしたからこそ、これほど裾野の広い共感を得られたのだろう。そしてかつての最高権力者ですら差別発言を許容されないというできごとは、大きな成功体験になり、また今後の準拠点になると思う。事実、その直後に開会式のプロデューサーである電通出身の佐々木宏氏の女性タレントに対する差別発言がリークされ、辞任に追いつめられた。

昨年7月の「#検察庁法改正案に反対します」のオンラインアクティビズムの成功に次ぐ、コロナ禍の下での大きな成功体験となった。もちろんそれ以前からの #MeToo 、#KuToo 、#WithYou 、そしてフラワーデモなど、オンライン・オフラインの運動の蓄積があってこその変化である。

ちなみに森氏辞任のあとに会長に就任したのは内閣五輪担当相の橋本聖子氏。政界では森氏の「父の娘」ともいうべき政治家だとか。さらに女性理事を四割に、というので急遽理事の定員を四五人に増やし一二人の女性理事を追加、女性比率は二割から四割に増えた。五輪開催まで三カ月余、実施するにせよ中止するにせよ、きわどい意思決定が要求される瀬戸際の時期に、にわか理事を仕立てても彼女たちに意思決定権や影響力があると思えないし、いちばん困難でいやな意思決定を女にやらせるのか、と人身御供（ひとみごくう）のような気もする。

三月四日

谷口歩（あゆみ）さん（二三）たちが「#生理の貧困」の調査結果をこの日発表した。谷口さんは国際基督（キリスト）教大学在学中に生理用品への軽減税率を求めて署名活動をした若い女性だ。コロナ禍の経済的困難は女性にとっての必需品、生理用品にも及んだ。アンケート調査をしたら学生の五人に一人が「経済的要因で生理用品を買うことに困難を感じた」と回答。生理用品を女性用トイレに常備しているところや、無償配布している国、さらに軽減税率を適用している国などもあることが次々に紹介され、国会でもとりあげられた。東京都豊島区は、生理用品の無償配布を実施、企業からも寄附などがあいついだ。フェムテックと呼ばれる新しい生理用のデバイスも次々に登場するなど、生理がマスメディアで大きくとりあげられるようになった。新聞でも特集が堂々と登場するようになったのは、女性記者が増えた効果といってよい。隠され、知られないようにするのが「女のたしなみ」とされてきた生理が、公共空間のなかで語られ、男性にも理解を求めるようになったのはよい徴候だが、生理という婉曲語を使わずに「月経」とは言えないものだろうか。

三月六日

名古屋入管に不法滞在で収容されていたスリランカ人、ウィシュマ・サンダマリさん（三三）

が施設内で死亡した。留学生として来日、授業料が払えずに退学、その後在留資格を失った。同居しているスリランカ人男性から暴力をふるわれ、交番に駆け込んだところ不法滞在で入管施設に収容された。体調不良を訴え、医師が入院を示唆したが実行されなかった。母国からウィシュマさんの妹二人が来日し、死亡原因を知りたいと施設内を収録したビデオ映像の公開を求めたが、入管は一貫して拒否している。池田真紀衆院議員（立憲民主党）は、ウィシュマさんはDV被害者として保護すべき対象だった、と指摘する。

同じ時期に入管法改正案が国会に提出された。難民認定率が〇・四％（二〇一九年）という日本で、悪名高い長期収容をなくすために、難民申請三回目の外国人は強制送還を可能にするという本末転倒の「改悪」だった。ウィシュマさんの死因の不透明さや入管の管理や隠蔽体質に対する世論の猛反発から、五月一八日政府与党は改正案の撤回を余儀なくされた。昨夏の検察庁法改正案の撤回に並ぶ、政治的な成功体験となった。

それだけではなく、日本社会が外国人をどう取り扱っているかがコロナ禍のもとで赤裸々に示された。とりわけ従来から監視下で最低賃金以下の「奴隷労働」を強いられてきた技能実習生と呼ばれるひとびとの処遇が問題となった。コロナ不況で失職した外国人は住居と収入を失い、同時に滞在資格も失い、難民化する。背負ってきた負債を返済する見通しも立たず、国境閉鎖によって出身国に帰る手段も失い、食べることにも困窮したひとたちを支援するNPOや市民団体が必死にがんばっている。現地の送り出し団体から高額のリベートを得ながら、人身売買のように外国人を紹介しつづける監理団体と、その監理団体に丸投げしたままの政府の無責任さもきわだっている。

日本社会は外国人労働者に頼らなければならない状況なのに、その人たちを使い捨てにしてきたのだ。女性労働者の妊娠・出産についても、発覚すれば契約を打ち切られ、帰国を強いられる。もともと家族帯同を認めないばかりか、滞在中に家族形成を認めない日本の入管政策は、働きざかりの単身の男女をつごうよく搾取するためにあることがはっきりわかる。政府の外国人政策が決して「移民」という用語を使わないことにもそれがあらわれている。

三月一三〜一四日

新型コロナのもとで困窮する女性限定の「女性による女性のための相談会」が新宿区大久保公園で開催された。就労や生活相談に加えて、食品や身の回り品に加えて生理用品を含む支援物資が配られた。詳細は実行委員を務めた雨宮処凛さんがご自分の担当章で述べてくださるだろうが、来訪者には従来になく若い女性が多かったという。コロナ禍のもとで貧窮が若い世代にじわじわと押し寄せているのだろうか。

四月一日

コロナ変異株に置き換わって第四波が始まっている兆候。大阪と神戸は医療崩壊で悲惨な状況だ。初期は押さえ込めた高齢者施設でのクラスター感染が急増し、すでに一九八九件に上っているとメディアが報じた。入居者と職員の双方に陽性者が発覚し、それでも医療機関に移送はできないから、そのまま施設で監理してくれという指示が来るのだという。施設では感染者を隔離したり、対応する職員を限定したりして、経験のない感染症対策に対応せざるをえない。綱渡りのような対応だ。これでよく現場が保っていると思う。

緊急事態宣言に代わって「まん延防止等重点措置」が大阪府の要請を受けて五日から適用決定。略称「まん防」とのんびりした響きだが、耳に入ってくる大阪府と兵庫県の状況はただならぬ切迫感だ。神戸の訪問看護師、藤田愛さんのネットへの投稿から。

「全件入院の方針だった兵庫県で、すぐに入院ができなくなったのは、昨年下旬。目の前で悪化するさまを見ているしかなかった初めての経験が一二月三一日と一月一日救急車要請しても搬送先がなければ不搬送となる。（中略）不慣れなPPE（個人用防護具）をまとい訪問をしたものの、空床がない、それはこういうことになるんだ、何にもできない、凍り付くような思いで呆然とした。幸い、一床だけ空床が出てそこに入院できるようになり救急搬送できた。一一九から二四時間以上たっていた。看護師になって以来、初めての経験だった」

まるで野戦病院のようだ。友人の医師から痛切なメールが来た。「自宅療養（という名の放置）、ホテル療養（という名の放置）」と。これが「医療先進国」と言われた日本のコロナ戦争最前線のレポートなのだ。

四月二一日

介護事業所が窮地に追いこまれている。この日のNHKの報道では通所型を中心に全国で八八三の介護サービス事業所が休業。訪問介護は人手不足に悩み、有効求人倍率は一五・一六倍。ヘルパーの平均年齢は五三・七歳だという。コロナ禍直前の二〇二〇年一月時点での求人倍率は一三倍だから、さらに悪化した。訪問ヘルパーは介護職のなかでもっとも不利な労働条件のもとにおかれた労働者だ。コロナ禍のもとで休業、失職などの困難な状況にあっても、ひとびとがすすんで就きたがらない職種であることがよくわかる。昨年から藤原るかさん、伊藤みどりさんらを原告とする「ヘルパー国賠訴訟」が進行中である。[4] 労働基準法の求める条件にも満たない労働条件をもたらした責任は、制度設計をした国にある、と問うものである。

四月二二日

自治体の要請を受けて四月二五日から五月一一日まで四都府県に緊急事態宣言。七日にはさらに二県を追加して五月末日まで延長。五月二七日には六月二〇日まで再延長。飲食業や観光業からはいつまで続くのか、と悲鳴があがる。人流は減った感じがしない。オンライン化を進めていた企業も、元に戻ったように見える。ラッシュ時の混雑が戻りつつあると言う。

北海道と沖縄の感染拡大が深刻だ。観光に伴う移動が関係しているのはたしかだろう。沖縄は米軍基地も影響しているだろう。どちらも陸路から侵入するのはむずかしい。徹底した水際対策をとることはできなかったのか。変異株も入ってきた。わかったのは日本の水際対策が漏れだらけなこと。

大学はあいかわらずリモート授業が多い（一部対面化）だが、小中高は通学している。これまで子どもの感染は少なかったのに変異株は若年層にも拡がり、重症化する恐れが出てきた。学校クラスターも発生した。子どもも教師も親たちも、気が気ではないだろう。

四月二六日

東京五輪の医療対策に政府が看護師五〇〇人の動員要請をしたことで、大ブーイングが起きた。それでなくても逼迫しているコロナ対策の医療資源を、五輪に割けというのか、と。菅首相の答弁では有資格者の休眠人材が大量にいるとのこと。東京都だけでも七万人という。その休眠看護師たちをワクチン接種に動員したい厚労省が、知らないうちにこんな通知を出していることを関係者から教えてもらった。昨年四月一〇日付け厚労省保険局の通達で、被扶養者控除の上限額一三〇万円の年収を一時的に超えても、被保険者の変更をしなくてもよいという例外規定だ。「女性活躍」といいながら女性の労働参加を抑制してきたのが、税制の扶養控除と年金三号被保険者制度であることは、久しく指摘されてきた。既婚女性を「家計補助労働者」として二流の地位に留めるのがこの制度なのに、非常時にあたってこんな泥縄式の弥縫(びぼう)策を示しながら、制度を抜本的に見直そうという動きはない。こういうときにこの制度に看護師の「女性活躍」を抑制する効果があることが、はしなくも露呈された。

五月二六日

#KuToo運動を起こした石川優美(ゆみ)さんを著作権侵害等で訴えたTwitterの投稿者による告訴

で、被告の石川さんが全面勝訴した。石川さんが著書でそのTwitterを引用して批判したことに対する告訴だが、Twitter上の応酬に対する「逆告訴ハラスメント」の一種ともいうべきものだ。どの弁護士に言わせても告訴そのものが「無理筋」、裁判所は一〇〇％石川さん側の主張を認めた。にもかかわらずSNS上ではあいかわらず石川さんを非難する投稿が一〇万を超える単位で拡がっているという。SNS上の言論暴力は看過されてはならない。

この少し前、逮捕されたAV制作会社社長が、TwitterでAV業界批判をつぶやいた人権派弁護士、伊藤和子さんを名誉毀損で訴えた裁判が、最高裁で被告側の敗訴に終わった。わたしは頼まれて意見書も書いた。伊藤さんはAV女優の人権侵害と闘ってきた弁護士だ。セクハラ裁判等では「逆告訴ハラスメント」はしばしば使われる。わたしにはこの告訴も「無理筋」にしか思えないが、女性の人権を守る法廷闘争の結果が明暗を分けた。

六月一日

元SEALDsメンバーの福田和香子さんがネット上で受けた誹謗中傷を告訴した裁判で勝訴した。女子プロレスラー木村はなさんの自死に見るように、ネット上の攻撃は人を殺す。匿名だからといってすまされるわけではない。勝訴の後に福田さんは、こう言う。

「私は、大量の誹謗中傷に晒され続けてきたこの6年間で、とても強くなりました。その強さは、拭えない人への不信感や外に出ることへの恐怖、そして社会に対する深い絶望から生み出されたものです。（中略）強くなってしまった私は、強くならなくたって、苦しまなくたって、生きていける社会を希求します。これ以上、強くなることを強いられる人が増えずに済む社会を、希求しています」[5]

今の時代に必要な言葉だ。

六月一一日

非常時にまぎれて、とんでも法案が次々に国会で成立する。一一日、憲法改正のための国民投票法改正案成立。同一六日、土地利用の私権規制を可能にする土地利用規制法案可決。国民投票法には投票率による有効要件がかきこまれていないという決定的な欠陥があるのに、それを不問にしてCM規制の協議を先送りすることで時間稼ぎをする野党の妥協で成立した。野党の足並みは揃わず、徹底抗戦にも至らず、このままでは野党共闘の求心力も危ぶまれる。菅政権の支持率は下がっているが、かといって野党の支持率が上がっているわけでもない。

他方で人権関連の法案は見送られる。政府与党に提出された男女共同参画推進国内計画からは「選択的別姓を検討する」という文言さえ削られた。LGBTについての「理解促進法」案は、「差別を禁止する」という文言をもりこめずに、今国会では廃案になった。その過程でLGBTは「道徳に反する」などという問題発言が与党政治家から次々に飛び出した。候補者均等法こと「政治分野における女性の活躍を推進する法律」は、数値目標を組み入れることもできず、ましてやペナルティを課すことなど考えられないような現状で、ようやく女性議員が現場で直面するハラスメント対策だけが改正案として成立した。

ジェンダーやセクシュアリティに対する無理解と差別観は、与党政治家だけの独占物ではない。野党第一党立憲民主党の「性犯罪刑法改正ワーキングチーム」の勉強会の席上、「性交禁止年齢」を一三歳から一六歳へ引き上げようという議論のなかで、本多平直議員が「五〇歳近くの自分が一四歳の子と性交したら、たとえ同意があっても捕まるのはおかしい」と発言。無理解をさらけ出した。五月八日の発言を問題化する声が拡がり、党から厳重注意を受けて六月八日には謝罪撤回した。日本の性交同意年齢の一三歳は諸外国と比べれば低年齢すぎ、また婚姻年齢の男性一八歳、女性一六歳のジェンダー格差も二〇一八年の民法改正でようやく男女とも一八歳と同一になったばかりである。一〇代の少女が年齢を偽って風俗業に参入するなかで、幼さを性的搾取の対象とするような日本男性の性文化が背景にある。

六月一八日

政府の新型コロナウイルス感染症対策分科会の尾身茂会長が、二六人の専門家の検討結果をまとめて提言を出した。東京五輪開催の是非については「触れない」姿勢を貫いた。第一に専門家たちは五輪開催の是非の意思決定権を持っているわけではなく、第二にすでにこの時点では規定の路線となった五輪開催方針にもはや何を言ってもムダ、だという理由からである。通常のイベント以上に大量の動員が想定される五輪には、よりきびしい感染対策が必要であると警告することで、せめて「専門家の責任」を果たそうという尾身氏の発言には、無力感が漂う。六月二日に「この状況で五輪開催は普通はない」と尾身氏が発言したことで、自民党の政治家たちは「越権行為だ」と色をなした。専門家の検討会を田村憲久厚労省が「自主的な研究会」と無視する態度を示した。分科会の委員のひとりは「はじめから結論が決まっている」という。この分科会の専門委員たちの扱いを見ていると、この国の政権が科学や学問をどう見ているかがよくわかる。緊急事態宣言の再延長に際して「専門家の検討を経てから」と言いつのる首相は、政策をオーソライズするイエスマンしか求めていない。これまで政権に忖度してきた厚生官僚、尾身氏のせめてもの抵抗なのだろう。だが同時に、もし「五輪感染」が拡大したら……だから言ったでしょ、警告しておいたのに、と免責されるための布石かもしれない。その警告さえ発しなかったのが、一〇年前の原発事故の際の原子力安全委員会（その後、原子力規制委員会と名称を変えた）の専門家たちだ。あの斑目春樹委員長をはじめとして、専門委員の誰一人責任をとろうとはしなかった。斑目氏は「想定外だった」とうめいたと伝えられるが、それなら不明を恥じて職を辞すべきだっただろう。あの三・一一敗戦と同じように、信念と楽観だけで、政府は五輪敗戦へと突っ込もうとしている。

六月一九日

日本ラグビー協会は同日、理事二五人中一〇人を女性にするという、スポーツ庁が定める「女性理事四〇％以上」というガバナンス・コードを達成した。同時に「もの言う女性理事」だった稲沢氏と谷口真由美氏は退任したが、選考経過は不透明だという。[6] 谷口氏は森問題の直後、二月一七日に日本ラグビー協会の新リーグ発足にあたって「新リーグ法人準備室長」のポストを解任された。[7] 頭数だけそろえても「わきまえる女」ばかりでは、組織文化はなにひとつ変わらない。森前委員長の辞任に伴い組織改革で理事の四割を女性にしたはずの五輪組織委の女性理事たちの声も、少しも聞こえてこない。

六月二三日

最高裁まで争われた夫婦同氏の違憲訴訟が、原告側敗訴に終わった。関係者は呆然。「いつまで待てというのか」とショックと失望が拡がる。二〇一五年に合憲判決が出てから六年、その当時から世論も多数派が別姓許容へと動いていた。一九九六年には当時の法制審議会が民法改正を答申、二〇〇〇年代に入っても国連女性差別撤廃委員会から数次にわたる勧告を受けている。別姓が認められないことはジェンダーギャップ指数が下がる原因のひとつにもなっている。二〇一五年判決では判事一五人中三名の女性判事が全員合憲判決に反対意見を述べた。今回は女性判事はひとり減り、二名のうち合憲と違憲が半々。他に二名の男性判事が少数意見に組した。判断は司法の場から立法府へと委ねられる。女性を苦しめる同氏強制に賛同する議員は、男女を問わず落選運動を起こしたいぐらいだ。

六月二五日

本稿の〆切り日。コロナ禍の鎮静は見えない。それどころかイギリス株、インド株、さらにベトナム発の二重変異株など未知のウイルスの登場で、ますます先行きは不透明になった。現在接種を急いでいるワクチンも、副反応の怖れだけでなく、そもそも変異株に効果があるのかどうかも未知数だ。いったんコロナ収束に完全勝利したかと思われた台湾ですら、変異株が急速に拡大している。菅首相がワクチンを大量贈与して、国際関係で優位に立とうとしている。

条件は一年前とはまったく変化して、あらたな次元に入ったと思える。専門家が「第五波」を予告しているというのに、政府は、東京オリパラを強行しようとしている。リスクはつねに確率論的なもので、予見可能だ。「想定外」はありえない。ChooseLifeProjectの取材を受けて、五輪中止を訴えるインタビュー動画を配信した。[8] そのなかで「五輪敗戦」「コロナ敗戦」を警告した。カミカゼは吹かず、奇蹟は起きない。政権の一か八かの「勝負」の掛け金に国民の命と健康とを差し出すな、と。もし「敗戦」したら……戦死者が出る。アスリートのみならず関係者、ボランティア、滞在先の従業員、さらには後方支援の医療従事者などのなかからたったひとりの戦死者も出ないように、と「祈るような気持ち」と述べた。「祈る」しかない無力感にひしがれる。

皮肉なことに東京五輪を実施する主催者側のトップ三人までが日本女性だ。東京都知事・小池百合子、五輪組織委会長・橋本聖子、政権の五輪担当相・丸川珠代。[9] 悪夢を見ているようだ。女なら誰でもいいのか？　権力志向の野心家や権力に阿る（おもね）「わきまえる女」たちばかりなら何も変わらない。

今年は女性参政権行使七五周年。秋までにはかならず衆議院議員選挙がある。有権者はどんな審判を下すのだろうか。

（二〇二〇年六月二五日）

注

1 https://www5.cao.go.jp/keizai2/keizai-syakai/future2/20210119/shiryou3-1.pdf

2 https://www.mhlw.go.jp/content/000728360.pdf

3 「ラグビー協会初の女性理事『私のことだ』森氏の発言に」（朝日新聞二〇二一年二月四日）
https://digital.asahi.com/articles/ASP24628ZP24UTIL040.html

4 https://m.facebook.com/ ホームヘルパー国賠訴訟を支援する会-107202080881362/

5 https://tokyofeminist.wixsite.com/waks/single-post/long-way-home

6 「ラグビー協会女性理事4割に　選考理由に疑問や不満も」（朝日新聞二〇二一年六月一九日）
https://digital.asahi.com/articles/ASP6M67HKP6LUTQP01W.html

7 「ラグビー協会に何が起きたのか？ 改革進めていた女性の外部理事が突然解任」（東京新聞　二〇二一年四月二一日） https://www.tokyo-np.co.jp/article/99486

8 「五輪は中止すべき」上野インタビュー　ChooseLifeProject
https://twitter.com/ChooselifePj/status/1404769027650555908
同様の内容を六月二三日付け毎日新聞朝刊でもインタビュー取材を受けて語っている。ウェブ版はこちら。「『一か八か』無責任体制が生んだ五輪強行　上野千鶴子さんの指摘」
https://mainichi.jp/articles/20210618/k00/00m/050/390000c

9 丸川珠代氏は「男女共同参画推進担当相」も兼任しているが、「選択的夫婦別姓」に賛同する意見書を採択しないよう地方議会に求めた文書に連名した国会議員五〇人の一人である。
https://www.tokyo-np.co.jp/article/88547

［メディア］

危機の時代のジャーナリズム

大治朋子

大治朋子（オオジ・トモコ）

毎日新聞専門記者。一九八九年入社。東京本社社会部、ワシントン特派員、エルサレム特派員などを経て二〇一九年秋より現職。社会部時代の防衛庁（当時）による個人情報不正使用に関する調査報道で二〇〇二、二〇〇三年度の新聞協会賞をそれぞれ受賞。ワシントン特派員時代の「対テロ戦争」や米メディアに関する調査報道で二〇一〇年度ボーン・上田記念国際記者賞受賞。二〇〇四～〇五年、英オックスフォード大学ロイタージャーナリズム研究所客員研究員。二〇一七年から二年間休職し、イスラエル・ヘルツェリア学際研究所大学院（テロ対策・国土安全保障論）修了。テルアビブ大学大学院（危機・トラウマ学）修了。単著に『勝てないアメリカ「対テロ戦争」の日常』（岩波新書）、『アメリカ・メディア・ウォーズ ジャーナリズムの現在地』（講談社現代新書）など。最新刊に『歪んだ正義 「普通の人」がなぜ過激化するのか』（毎日新聞出版）。

1 「空気感染」と呼ばないで⁉

二〇二一年上半期も新型コロナウイルス（以下、新型コロナ）に関連するさまざまなキーワードが注目を集めた。本稿ではそのうち内外で特に話題になった「空気感染」「東京五輪」「ワクチン」「陰謀論」を軸に、メディアの役割と課題について検証したい。

まず次の三つの言葉の違いをご存じだろうか。

1　マイクロ飛沫
2　エアロゾル
3　空気感染

1のマイクロ飛沫は厚生労働省（以下、厚労省）が新型コロナ対策で接触感染、飛沫感染と共に挙げる三大感染ルートの一つだ。厚労省はマイクロ飛沫について「換気の悪い密閉空間では、五マイクロメートル未満の粒子がしばらくの間、空気中を漂い、少し離れた距離にまで感染が広がる可能性がある」と説明する。

だが3の空気感染とは違うのだという。「（空気感染は）結核菌や麻疹ウイルスで認められており、より小さな飛沫が、例えば空調などを通じて空気中を長時間漂い、長い距離でも感染が起こりえるもの。『マイクロ飛沫感染』とは異なる概念であることに留意が必要」とあえて強調している。

2のエアロゾルはというと海外の論文やWHO（世界保健機構）でよく使われている単語で、せきやくしゃみで飛ぶ飛沫（直径約〇・〇二〜〇・〇五ミリ）の一〇分の一程度の微粒子だ。

三者の関係性については国立病院機構仙台医療センターのウイルスセンター長、西村秀一医師の説明が明快である。

「マイクロ飛沫感染というのは、従来の空気感染やエアロゾル感染の言い換えに過ぎない。『マイクロ』の定義も不明ですし、そもそも飛沫というのは大小さまざまな粒子が連続的に存在していて、5マイクロメートルで切り分けることはできないし、空気の流れがある実生活空間では5マイクロメートル以上の飛沫でも十分浮遊する」

西村医師はそう語り、「むしろ空気を媒介にエアロゾルを吸い込む広い意味での空気感染が起きていると考えるのが自然」だと語る（「毎日新聞」二〇年八月二〇日付夕刊）。

それでも日本政府は「マイクロ飛沫」という言葉にこだわる。結果として至近距離への拡散というイメージがつきまとうが、実は単なるイメージにとどまらない。厚労省の方針に基づくガイドラインも至近距離の飛沫拡散を想定したような内容なのだ。

例えば厚労省の感染症対策基本的対処方針に基づき一般社団法人「日本フードサービス協会」などが二〇年五月に策定（一一月改正）した「外食業の事業継続のためのガイドライン」によると、人や席の間隔は「できるだけ一メートル以上」あける、とある。換気については「十分に行う」「換気設備の点検を行う」「十分な換気設備がある場合は（中略）ドア等の開放は必要ありません」と述べるにとどまる。

ところがまさにこれらを遵守した現場で集団感染は起きている。六月二三日放映のＮＨＫ「クローズアップ現代＋」は特集「最新研究で迫る変異ウイルス感染防止策」でその実態を明らかにした。見えない微粒子となって漂う「エアロゾル」をキーワードに、「空気の流れ」が集団感染を引き起こすメカニズムを解き明かした。

具体例として取り上げたのは二〇年一一月に起きた岩手県盛岡市のレストランのケースだ。客席を減らしてテーブルの間隔を広げ、出入口や窓を開放し空調設備を稼働させたが集団感染が起きた。専門家が現場を検証した結果、感染源となった客の真上に空調設備があり、その客が会話などで吐き出したウイルスを含む粒子が四方に拡散したことが分かった。その飛距離は「ソーシャルディスタンスをはるかに超え、最大で一〇メートルに達した」という。

つまり換気の方法や設備の機能次第では、むしろ拡散されかねないのだ。同様の集団感染は換気機能が低下した空調設備を使っていた高齢者施設などでも起きている。

空気感染の脅威については二〇年七月六日、オックスフォード大学の学術誌「臨床感染症学」に発表された論文「新型コロナの空気感染に対処する時が来た」で広く認識された。論文には先の西村医師らをはじめ、一部日本人医師を含む世界の専門家二三九人が署名。研究者らは二〇年一月に中国・広州市のレストランで起きた集団感染を調査し、新型コロナの微粒子は数十メートルを飛散しうると結論づけた。先のＮＨＫの番組と同様の検証結果だ。

ＷＨＯはそれまで日本と同様に、新型コロナは直接的な接触やせきやくしゃみなどを介した飛沫感染が主な経路だとし、空気感染は気管挿管の処置が行われるような特別な場合に限られるとしていた。だがこの論文著者らがガイドラインの見直しを求めると、先の論文の発表から三日後、「空気感染の可能性は排除できない」と修正した。

それでも日本政府は空気感染とは呼ばない。確かに日本は早い段階から換気の必要性を強調してきたが、現在にいたるまで微粒子の流れを十分考慮した対策までは求めていない。

ちなみにトランプ前政権も空気感染という言葉を嫌っていたようだ。米国疾病対策センター（CDC）は先のWHOの方針転換を受けて「空気感染により広がることが時にはある」とする見解をいったん出したがその後引っ込め、再び空気感染を認めた。当時米メディアはこの不可解な対応をめぐり、CDCはトランプ政権から空気感染という言葉を使わないよう圧力を受けていたようだと批判した。

日本では厚労省が「空気感染」を否定し続けることへの疑問などはあまり聞かれない。しかしWHOなど世界の専門家と同じ言葉を使い、危機意識を共有して感染対策を徹底させることは、東京五輪開催国の政府やメディアとして当然の責務ではないだろうか。

為政者は時に自らに都合の良い言葉や表現で現象や問題を整理しようとする。新型コロナのように専門性の高いテーマにおいては特に、私自身も含めジャーナリストもついそれに追随してしまいがちだ。政府が認めない言葉や解釈で独自に問題提起を図るには膨大な取材も必要になる。為政者が決めた言葉や解釈をなぞり、既定路線の枠内での批判で「やってる感」を見せる方がよほどラクだ。

だがコロナ禍においてはそうした姿勢は市民の生命さえも危険にさらしかねない

2　東京五輪の負のレガシー

東京五輪の開催是非をめぐり、大手メディアは世論調査を重ねた。二一年五月になると五輪「中止」を求める声が「開催」を支持する声を上回った。「毎日新聞」は社説「東京五輪まで二カ月　『安全・安心』の根拠見えぬ」（五月二三日付け）で開催を疑問視。「朝日新聞」は社説「夏の東京五輪　中止の決断を首相に求める」（五月二六日付け）で中止を求めた。こうしたムードは政府・感染症対策分科会の尾身茂会長が六月初めに国会などで「普通は（五輪開催は）ない。このパンデミック（世界的大流行）で」と述べてさらに拡大した

ところが菅義偉（よしひで）首相が六月一三日、主要七カ国首脳会議（G7サミット）を終えての記者会見で、五輪について「全首脳から大変力強い（五輪開催）支持をいただいた」と語ったころから風向きが微妙に変わり始める。五日後の一八日、尾身茂会長ら専門家有志二六人が政府に提出した感染リスクに関する提言は、当初予定していた開催是非やその妥当性を問う文言を封印。「無観客なら」と開催を前提とするような内容へと変わっていった。

いったい何があったのか。その舞台裏について「毎日新聞」は同月一九日付けの朝刊で、尾身氏と政権側をつないでいた西村康稔（やすとし）・経済再生担当相が「五輪の中止が、感染リスクが一番低いと尾身さんが言っている」と周辺に困惑気味に漏らし、それが専門家らに伝わったことなどから提言内容がトーンダウンしたと伝えた。厳しい文言は徐々に削られ、「全体的にマイルドな表現」（省庁幹部）になっていったという。政府の意向を忖度（そんたく）した形になったということだ

ろう。これに影響されてかメディアの報道もＧ７後は「開催するなら無観客で」といったトーンが徐々に目立つようになった。

そこで今さらながらではあるが、メディアの一員である私自身の自戒も含め、専門家とメディアはどんな議論を展開すべきだったのかを考えてみたい。

尾身氏らの提言については、医師で民法・医事法を専門とする米村滋人・東大教授が「目新しい内容はなく、根拠となるデータも乏しい。一カ月前に出ていたら国の決定を変える説得力を持ったとも思えない」と指摘。また「もし開催するなら、感染しにくい空気の流れをつくる換気法の整備や高機能マスクの着用を呼びかけるといった具体的な対策を組織委に求めていくべきだ。そうした助言も抜け落ちている」と批判した（「『根拠乏しい』『政府は説明を』」尾身氏提言に専門家は？」「朝日新聞」電子版特集記事、六月一八日付）。

この「感染しにくい空気の流れをつくる換気法の整備」は、本稿冒頭でも取り上げた空気感染を意識した対策だろう。やはり専門家やメディアが開催の是非や対策の不十分さを追及するうえで、十分に足場となるテーマだったのではないだろうか。

ちなみに五輪の空気感染対策については二一年五月二五日に米国の権威ある医学専門誌「ニューイングランド・ジャーナル・オブ・メディシン」が掲載した論文「五輪参加者をコロナから守る――早急なリスク・マネージメント　アプローチの必要性」で酷評されている。著者は米大統領就任前のバイデン氏に新型コロナ対策を助言したことでも知られる米ミネソタ大学感染症研究政策センター長のオスターホルム氏ら公衆衛生・疫学の専門家四人。瞬く間に米国のウォール街で話題となり「論文コピーが市場内で転送された」ほど注目を集めた(「日本経済新聞」電子版、五月二七日付)。

論文はまず「五輪中止が最善の選択だろう」と指摘。そのうえで国際オリンピック委員会(IOC)がまとめたコロナ対策のための「プレーブック(規則集)」(第二版)は「十分な科学的証拠に基づくリスク評価」で作成されたものではないと批判した。

対策においては新型コロナの微粒子であるエアロゾルの吸引をいかに防ぐかが最重要で、そのためには空気中のウイルス密度、被ばく時間、競技の種類、換気工学などさまざまな専門的見地から競技場だけでなく、カフェテリアやバス、ホテルなどでの対策もそれぞれ講じる必要がある、としている。IOCのプレーブックはこうした視点に欠け、特に障害のある選手へのリスクが懸念されるという。また医学的に効果のあるマスクを主催者側で用意すべきところを「選手持参」としたり、選手らの行動把握により効果的だとされる装着型装置(ウェラブル)を導入せず、スマートフォンのアプリで対応したりするなど当事者任せが多く、徹底した対策になっていないと具体的に指摘した。

IOCは六月一五日、プレーブックを更新して第三版を発表したが、この論文が示した「欠陥」はほとんど改善されなかった。このため論文の一部著者らは改めて米紙に寄稿し「依然として飛沫感染と接触感染に焦点が当てられ、空気中に漂うウイルスを含んだ微粒子『エアロゾル』による感染が認識されていないことに加え、変異株の影響も考慮していない」と指摘。選手の往来によって変異株が世界に広がる可能性にも触れ、「五輪が世界規模のメガ拡散イベントになるかもしれない」と警告した（「毎日新聞」六月二二日付朝刊）。

だがこうした警告を日本の専門家やメディアは「淡々と」受け止めたりニュースで紹介したりはしたものの、深く掘り下げた例は少なく、大きな問題提起にはならなかった。入国した選手らを外部との接触から遮断する「バブル方式」の安全対策は、ウガンダ選手団の感染で開催前からすでに穴だらけだと判明している。さらに空気感染対策も不徹底となれば、例え最終的に「無観客」になったとしても、さまざまな新型コロナがブレンドされた「東京五輪株」のような変異株が生まれて国内外で拡散される可能性は否定できない。

そうなれば東京五輪は、世界に新型コロナを拡散させたという負のレガシー（遺産）を後世に残したとして語り継がれることになるだろう。

3　ワクチン不足とアジェンダ設定

次にワクチン不足の問題とその関連の報道を検証する。「読売新聞」の二一年四月一日付朝刊記事は多くの市民が抱く素朴な疑問から書き起こした。

「新型コロナウイルスの感染拡大が第四波の様相を呈し、医療者以外のワクチン接種も始まらない中、こんな疑問を抱く人は少なくないだろう。『医療先進国のはずの日本で、なぜ国産ワクチンの開発が遅れているのか』。欧米など海外の開発に大きく後れをとった背景と課題を検証し、わが国がこれから取り組むべき方策を考えてみたい」

記者が独自の問題意識で課題を設定し、社会に問題提起する報道スタイルは「アジェンダ

（議題）設定」ジャーナリズムとも呼ばれる。この記事は「なぜワクチンが不足しているのか」というアジェンダを設定し、構造的な問題に光を当てたうえで対策を提案している。

まず記事はこれまでの経緯として、▽新型コロナの流行が始まって一年弱で欧米はワクチン実用化に成功したのに日本は周回遅れ▽双方の違いを生んだのは平時の蓄積の差▽もともと日本は予防接種禍の集団訴訟などでワクチン政策に及び腰だった——などを挙げ、「ワクチン開発は、産官学の力を結集して取り組むべき、重要な国家の危機管理」と指摘し、対策として英国での取り組みなどを紹介した。この半年間、「ワクチン不足」の現場を伝える報道は多数目についたが、そもそも日本はなぜワクチン開発で遅れているのかという本質的な問題を、分かりやすく報じたものは意外なほど少なかった。

ワクチン不足の背景には日本の政治家や官僚の近視眼思考があり、それが構造的な問題を生みだしている。「朝日新聞」も二一年六月七日付社説「ワクチン開発　反省踏まえ基盤固めを」でこう述べている。

「『選択と集中』の名のもと、すぐに役立ちそうな研究ばかり追求していては、現在の知見が及ばない新たな危機に対処できない。実現可能性が不明でも、基礎研究を続けられるよう適切にサポートし、科学技術力の足腰を強化するべきだ」

目先の利益に目を奪われて基礎研究へのサポートをけちる。まさにさまざまな局面で指摘され続けてきた深謀遠慮（しんぼうえんりょ）に欠ける政治家・官僚の近視眼思考の弊害だろう。

だが同時にこれは日本のジャーナリズムが直面する課題でもあると、自戒を込めて受け止めたい。目先の問題や利益にこだわるあまり、手間はかかるが重要な調査報道を後回しにしてはいないか。自らアジェンダを設定せず、為政者が設定する土俵の枠内をあたふたと回るだけで、小さな勝ち負けに一喜一憂していないか。ワクチン問題でいえば、市民が強い不満や怒りを覚えているこの時期こそ、政策の抜本的な見直しを迫るチャンスだった。そうした機会を逸して政治とメディアが共に近視眼に陥れば、市民は慢性的な情報不信に陥り陰謀論やデマに走る事態にもなりかねない。

京都の哲学者、西田幾多郎（いくたろう）（一八七〇～一九四五）は関東大震災で日本が最も反省しなければならなかったのは「深く考えて大なる計画を立てることがなかった」ことだと指摘した。何十年に一度は起きると分かっている大地震に十分備えなかったのは日本人が根底から考え抜くことを怠ったためだ、と。深く、大きく考えることができないところに日本人の弱さがあると考えた。東日本大震災の被害を見ても、この言葉はそっくりそのまま当てはまる。

「天災は忘れたころにやってくる」

そう語った物理学者の寺田寅彦（とらひこ）（一八七八～一九三五）も、目先の問題や利益に注意を奪われがちな人間の認知のクセを見抜いていた。どれほど無視しようとも、新たな地震も疫病もやがて必ずやってくる。子どもや孫の世代のための準備を「我が事」と捉えられるかどうか。中・長期的な視座と大局観の重要性を強く認識し、意志力でそれを実践するしかない。

政治家は次の選挙、官僚は次の人事異動を念頭に行動を決めがちだといわれるが、メディアまでもが深謀遠慮に欠ければ社会はいよいよ場当たり的になる。その危機感を改めて認識したい。

5　陰謀論とメディアの役割

二一年の上半期は、前年の米大統領選で敗北したトランプ前大統領の支持者らが一月に米連邦議会議事堂を襲撃した事件もあり、日本でも陰謀論が話題になった。本稿の最後はこの陰謀論とそれが生まれるメカニズムや必要な対策、そしてメディアが果たすべき役割について考えたい。

「ワクチンデマについて」

二一年六月二四日、河野太郎・行政改革担当はブログにこんなコラムを投稿した。「コロナウイルス感染症のワクチンに関するデマが流布されるようになってきました」。河野氏はそう述べて、デマを流す人々の主な動機として▽金儲け▽イデオロギーの主張▽注目が欲しい、などを挙げた。

ワクチンに絡む陰謀論の拡散はいまや世界的な問題だ。欧州連合（EU）はこうした陰謀論やデマが広がる背景には大手・地方メディアの衰退や取材不足があると懸念を示す。確かに政府の言葉や説明をタレ流す報道ばかりでは、市民は「政府とメディアは一体だ」「一緒に何かを隠している」といった不信感を抱きやすい。

この半年間の陰謀論に関する日本メディアの報道ぶりを見ると、「陰謀論が日本でも拡散されている！」「信じてしまった人の告白」といった内容が目立ち、背景やメカニズム、対策を詳しく分析した報道は一部雑誌には見られたものの、新聞やテレビではあまり目立たなかった。

コロナ禍のような危機の時代においては、現象のメカニズム解明と「対策」の共有は極めて重要なジャーナリズムの役目ではないだろうか。

そもそも陰謀論のメカニズムとはどのようなものか。陰謀論研究で世界的に知られる米マイアミ大学のジョセフ・ウシンスキ教授（政治学）は二〇年三月、「コロナは陰謀論の拡散に必要な嵐をもたらしている。世界的な感染の拡大、経済の悪化、社会的孤立、政府のさまざまな規制。これらは極めて深刻な不安と無力感、ストレスの原因となり、謀略論を信じる力になっている」と警鐘を鳴らした。

ウシンスキ教授によると、陰謀論的な思考は人間にありがちな思考のバイアス（偏り）とそれを呼び覚ます起動装置（activator）の両方が揃うと強まりやすい。代表的なバイアスは「内集団VS外集団」の意識だ。自分が所属する集団（内集団＝学校、会社、コミュニティ、民族など）は「他の集団（外集団）」よりも優れているという思い込み、いわば「身びいき」の感覚は誰にもある。そこにコロナ禍のような社会的危機が起きると、人は不安になり、日ごろ理性で抑えつけているこうした差別的な優越感が頭をもたげて来る。そして「外集団」にいわれのない罪（新型コロナを拡散させている等）をかぶせたりすることで、自分の所属する内集団の価値を相対的に高めて自信を回復しようとするのだという。

もう一つのありがちな認知バイアスは陰謀史観だ。特に疫病のようなコントロール不能な脅威の中に置かれると、それが誰かの陰謀だと考えることで不安が和らぐことがあるという。例えば新型コロナは生物化学兵器として某国が生み出し拡散させているものだ、と考えるとそれを「解決」すれば新型コロナの恐怖は終わる、などと安易に考えられるからだ。

また米ミネソタ大学などの研究チームが米国人三〇〇〇人余りを対象に行った一八年の調査によると、「米国の価値」が低下したと感じている人はそうでない人より陰謀論を支持する傾向が見られたそうだ。日本でも「医療大国」「サイエンス大国」としての「日本の価値」を信じてきた人ほど、医療崩壊やワクチン開発の遅れに少なからず自信を失っているだろう。こうした環境は陰謀論を繁殖させる培養液となりやすい。自分が所属する政党や国の価値や評価が下がると陰謀論にしがみつきやすくなるからだ。

では個人が実践できる対策はあるのか。

英ブリストル大学のレワンドウスキー教授（認知心理学）らは陰謀論関連の論文を幅広く検証して「陰謀論ハンドブック」（二〇年）をまとめている。それによると、▽嘲笑したり議論でねじ伏せようとしたりしない▽相手が心を開くよう共感的な姿勢で接する▽陰謀論を信じるのをやめた「先輩」の言葉を伝える▽陰謀論支持者は、自分は批判的思考の持ち主だと思っているので、まずその主張（陰謀論）を批判的に自己検証してみては、と勧める——などが重要だという。

社会全体ではどのような対応が可能か。

ハンドブックによると、まず陰謀論の特徴やメカニズムを社会で認識共有すること。そして市民が求める情報をできるだけ早く流し、陰謀論が広がる余地を残さないことが重要だ。ある実験では、客観的事実を知らされたうえでそれに関する陰謀論に触れた集団はそうでない集団に比べ、陰謀論を信じる割合が低かった。逆に事実より先に陰謀論に触れてしまうとやっかいだ。陰謀論は「(退屈で複雑な) 現実世界よりはるかに首尾一貫した幻想世界」(米政治学者のマイケル・バークン氏) を見せてくれるからだ。それにそもそも陰謀論は根拠が不明確だから反証すら難しい。

こうしたメカニズムを踏まえ、EU関連機関は陰謀論に繰り返しさらされないことの重要性を強調している。「錯覚的真実効果(illusory truth effect)」が起きてしまいかねないからだ。ハーバード大学の心理・神経科学者によると、人間には「自分が受け取る情報は大抵正しいと感じる認知バイアスがあり、何度も聞いていると本当だと感じるようになってしまう」という。

メディアが陰謀論に「加担」してしまう危険性もここに潜む。「日本でもこんな陰謀論が広まっている」と「淡々と」報じているつもりでも、錯覚的真実効果でそれを信じる人を増やしてしまうかもしれない。

本シリーズの前回拙稿でも触れたが、現象を表層的に報じるだけではかえってその現象を拡大させ、より深刻化させてしまうかもしれない。現象のメカニズムを解き明かし、そのプロセスを可能な限り「見える化」して対策も含めて提示する。

それは危機の時代に求められるジャーナリズムのありようではないだろうか。

(二〇二一年六月二〇日)

［労働］

コロナ禍の労働現場　3

今野晴貴

今野晴貴（コンノ・ハルキ）

一九八三年、宮城県生まれ。NPO法人「POSSE」代表。ブラック企業対策プロジェクト共同代表。一橋大学大学院社会学研究科博士後期課程修了。博士（社会学）。『ブラック企業―日本を食いつぶす妖怪』（文春新書、第一三回大佛次郎論壇賞受賞）、『ブラック企業ビジネス』（朝日新書、第二六回日本労働社会学会奨励賞受賞）、『ストライキ2・0―ブラック企業と闘う武器』（集英社新書）など著書多数。

はじめに

コロナ禍は、改めて非正規労働者に対する差別が根深いものであることを浮き彫りにした。多くの非正規労働者が「シフト」を奪われ、貧困に陥っている。政府の支援策もほとんど行き届いておらず、根本的な解決には結びついていない。

1　広がった「実質的失業」問題

「実質的失業」とは？

「実質的失業」とは、統計上「失業」として現れないものの、実質的に失業に近い状態にあることを表し、「見えない失業」や「隠れ休業」とも呼ばれている。実質的に失業に近いというのは、雇用関係は維持されているものの、ほとんど仕事をさせてもらえず、収入が激減しているような状態だ。契約上の労働時間や勤務日数が曖昧なシフト制勤務の非正規労働者がこうした「実質的失業」状態に陥りやすい。

私たちのもとに寄せられた相談事例を紹介しよう。

［三〇代女性　看護師　パート］

四月半ばから休業を命じられ、勤務先から呼び出された日だけ出勤していた。それまでは週四〇時間以上働いていたが、週二日・午前中のみの勤務となった。四月についてはシフトが作成されていたため六割の休業手当が出たが、五月からは一切支払われなくなった。院長に、休業手当を払ってもらわないと困ると伝えたが、「コロナだから仕方ない」と言われ、応じてもらえなかった。自分の収入が家計の三割程度を占めているため、シフト削減による生活への影響は大きかった。

［四〇代女性　製造業　アルバイト］
以前は週四~五日働いていたが、緊急事態宣言が出てからシフトが減らされ、数週間は全く働けず、その後も週二日しか働けていない。社長は雇用調整助成金の制度を知っていたが、「申請に時間がかかるから」と言い、申請してくれなかった。収入が減っているため、食費や水道光熱費を節約し、なんとか生活している。

このように、シフト制勤務の場合、いとも簡単に労働時間を削減されてしまい、家計に大きな影響が出てしまう。それにもかかわらず、このような状態は、統計上、「失業者」にも「休業者」にもカウントされず、課題として認識されにくい。

このような「実質的失業」の実態を浮かび上がらせたのが、野村総合研究所によるアンケート調査だ。この調査は、二〇二一年二月八日から二月一二日の間に、全国二〇~五九歳のパート・アルバイト就業者六万四九四三人を対象に実施された。[1]

三月一日に公表された調査結果によれば、パート・アルバイト女性のうち約三割（二九・〇%）が「コロナ以前と比べてシフトが減少している」と回答し、そのうち「シフトが五割以上減少している」人の割合は四五・二%（パート・アルバイト女性の一三・一%）である。そして、新型コロナウイルス（以下、新型コロナ）の影響によりシフトが減少しているパート・アルバイト女性のうち、七割強（七四・七%）が「休業手当を受け取っていない」と回答しているという。

こうした状況は、パート・アルバイト男性の場合もほとんど変わらない。「コロナ以前と比べてシフトが減少している」は三三・九%、そのうち「シフトが五割以上減少している」人の割合は四八・五%（パート・アルバイト男性の一六・五%）。シフトが減少しているパート・アルバイト男性のうち、「休業手当を受け取っていない」と回答したのは約八割（七九・〇%）だ。

パート・アルバイトのうち、「シフトが五割以上減少」かつ「休業手当を受け取っていない」人を「実質的失業者」と定義すると、二一年二月時点で、全国の「実質的失業者」は、女性で一〇三・一万人、男性で四三・四万人にのぼるものと推計されるという。

なお、この調査はパート・アルバイトだけを対象としているが、他の雇用形態でも「実質的失業」の状態にある者は相当数存在すると思われ、実際の「実質的失業者」はさらに多いものと推測される。

「完全失業者」一九七万人、「休業者」二四四万人に匹敵する規模の「実質的失業」が存在しているのだ。当時の女性の完全失業率は二・六%であったが、実質的失業者も含めると六%まで上がると推計された（データはいずれも総務省統計局「労働力調査（基本集計）2021年1月分」より）。

政策が機能しなかったことが露呈

このような実質的失業の問題に対し、どのような政策が取られているのだろうか。

まず、企業が支払った休業手当を補塡する雇用調整助成金について、緊急事態宣言下においては一定の場合に大企業に対する助成率が最大一〇〇％になるよう、特例措置がさらに拡充されている。

そして、シフト制で働く非正規労働者にも政策効果が及ぶように、いわゆる短時間休業の場合にも雇用調整助成金の対象になることや、シフト制の場合にも直近月のシフト等に基づいて同助成金の申請ができることをアピールし、活用の促進が図られている。

こうした対応がなされたにもかかわらず、その効果がほとんど出ていないことが、前出の調査結果から明らかになってしまった。助成金を利用できるにもかかわらず、自社の非正規労働者を守るための制度を活用しない企業が多いということである。

「東京新聞」（二〇二一年一月二七日付）の報道によれば、厚生労働省（以下、厚労省）は、昨年一一月時点で休業手当の未払いが把握できた大企業二五社に対して、文書でパートやアルバイトに対する休業手当の支払いを要請したとされる。しかし、要請を受けた全ての企業が一月中旬になっても支払っていなかったという。厚労省が個別企業に対してこのような要請をすること自体が異例なことであり、そのことが事態の重大性を物語る。企業が非正規労働者に対しても休業手当を支払うように政府があらゆる手を尽くしているにもかかわらず、効果が出ていないのである。

2 浮き彫りになった「シフト制」の矛盾

「実質的失業」を生み出したのは「シフト制」

「実質的失業」問題が深刻化している背景には、「シフト制」に関する法的問題がある。会社に責任のある理由で労働者を休業させた場合、会社は、労働者の最低限の生活の保障を図るため、少なくとも平均賃金の六割以上の休業手当を支払わなければならない（労働基準法第二十六条）。

非正規雇用であっても、労働契約書や労働条件通知書に週当たりの勤務日数や労働時間が定められているような場合には「休業」に当たることが明白であるため、休業手当の支払いを求めることができる。一方で、シフト制のように、週当たりの労働時間が明確でない場合に休業手当の支払義務が生じるか否かについては、法律上、明確な決まりがない。シフトが確定した後に一方的にキャンセルされた場合には当然に「休業」に当たると考えられるが、シフトが決まる前の場合に休業手当の支払義務が生じるか否かは不明確だ。

実際、雇用調整助成金を利用できるにもかかわらず、シフトが確定していない期間については「休業」に当たらないとして休業手当の支払いを拒む企業は多い。このことが、コロナの影響を強く受けていながら補償を受けることができない「実質的失業者」が大規模に発生してしまった要因である。

労働基準法（以下、労基法）では、企業は労働者と労働契約を締結する際に、労働条件を明示した書面を交付しなければならないと定めている。どのくらいの時間働くのかというのは、労働条件の中でも重要な事項であり、「シフト制」の場合であっても、可能な限り具体的に明示すべきだと考えられる。

しかし、実態としては、労働条件通知書には単に「シフト制による」などとだけ書かれ、企業の都合に合わせて一方的にシフトを変動させられることが少なくない。法的な規制が機能していない現実があるのだ。

放置されてきた「シフト制」

実は、シフト制についてはコロナ禍以前から問題視されており、特に若い世代が「シフトカット」の被害を受けることが多かった。シフト制が労働者に対する嫌がらせやハラスメントの手段となることもある。「シフト表を見たら、突然、自分だけがシフトから外されていて精神的なショックを受けた」という労働相談は少なくない。そうした実態があるにもかかわらず、対策が講じられないままになっていたがために、今回、大問題を生み出すことになってしまった。

非正規雇用労働者を組織する首都圏青年ユニオンも二〇二一年五月、弁護士らとともに「シフト制労働黒書」を発表して法律上の問題を詳述している。[2] 同書は、「柔軟な人件費調整や制裁手段としてのシフト制に大きく依存してきた対人サービス業に新型コロナウイルス禍の経済的打撃が集中したことから、パート・アルバイトの補償なし休業問題が大規模に顕在化した」と指摘している。

3 休業手当をめぐる法的問題

生活保障には不十分な休業手当

ここまで、非正規労働者が休業手当の支払いを受けられていないという問題について述べてきた。一方で、休業手当の支払いを受けられた場合であっても、労働者の生活が十分に保障されるわけではないということにも注意が必要だ。

労基法第二十六条は、会社に責任のある理由で労働者を休業させた場合、労働者の最低限の生活を保障するため、会社は、労働者に「平均賃金の百分の六十以上」の休業手当を支払わなければならない旨を定めている。話は単純であり、最低賃金ぎりぎりの給与しか受け取っていない非正規労働者の賃金が六割に減ってしまえば、途端に生活は成り立たなくなってしまう。労働相談においても、「収入が六割に減ってしまうと家賃すら支払えなくなってしまう。なんとかもう少し補償してもらうことはできないのか」という切実な声が数多く寄せられた。

それどころか、実は、労基法が定める「平均賃金の百分の六十以上」は、それまでもらえていた月収の六割という意味ですらない。次に述べるとおり、実際に労基法が定める最低限の休業手当を計算すると、もともとの賃金の半分以下になってしまうのだ。

実際には六割ももらえない休業手当

一日当たりの休業手当の額は「平均賃金×休業手当支払率（六〇～一〇〇％）」で算出される。平均賃金の原則的な算定方法は、「休業日の直近の賃金締切日以前三カ月間の賃金の総額をその間の総日数で除す」というものだ。勤務日数ではなく暦日数（れきじつすう）で割るため、算定される平均賃金の額は低くなる。単純な話でいえば、月に二一日働いて二一万円の収入を得ていた場合、平均の賃金は一万円になりそうだが、そうではなく、七〇〇〇円程度（二一万円／三〇日）になってしまうということである。

一方で、休業手当を受け取る時には、暦日数分もらえるわけではなく、休業期間中の所定労働日数分しかもらえない。右の例で言えば、休業手当支払率が六〇％の場合、一日当たりの休業手当の額が四二〇〇円となる。そして、月に受け取れる休業手当がこの二一日分だとすると、八万八二〇〇円となる。もともとの賃金の約四割である。これで生活を維持するのは困難だ。

貧困拡大の背景にある企業の非協力な姿勢

ここまで述べてきたように、非正規労働者の間に貧困が広がった背景には、シフト制や休業手当をめぐる法的問題があるのだが、それだけではないということを強調しておきたい。

というのも、前述したように、コロナ禍に対応するために、雇用調整助成金が拡充されており、事業主が労働者に支払う休業手当の大部分は助成金から補塡(ほてん)されるようになっている。助成率が一〇〇%の場合であれば、休業手当の支払率を上げたとしても、事業主の負担は全く増加しない。

コロナ禍という未曾有の事態において、企業は、できる限り労働者に休業に伴う不利益が生じないよう振る舞うべきであると考えられる。それにもかかわらず、非正規労働者に休業手当を支払わない企業が多いのである。

繰り返し報じられているとおり、多くの非正規労働者が仕事や収入を失い、苦境に立たされている。飲食店やサービス業で働いていた女性の生活に深刻な影響が生じ、自殺率が高まる要因となっているとの報道もある。こうした問題の背景に、企業の非協力的な姿勢があることに私たちはもっと着目すべきであろう。

4　テレワーク差別

労働現場においても差別される非正規労働者

非正規労働者の苦悩は休業時の生活保障制度からの排除にとどまらない。労働現場における感染対策においてすら、差別を受ける実態がある。とりわけ、二〇二一年一月七日以降の第二次緊急事態宣言を受けて、「テレワーク」をめぐる差別に関する労働問題が拡大した。

テレワーク差別をめぐる裁判も

テレワーク差別の末に契約を打ち切られた派遣社員のAさんは、二一年三月二日に、所属する派遣会社（以下、派遣元）と派遣先事業主（以下、派遣先）に対して損害賠償と雇止めの撤回を求める訴訟を提起した。

訴状によると、二〇年三月二五日、東京都知事が会見を開き、新型コロナの「感染爆発の重大局面」を受け、テレワークへの協力を訴えた翌日、派遣先は、すぐさま社員に在宅勤務を命じ、派遣社員に対しては有休で休むよう勧めた。しかし、Aさんには有休が残り二日しかなく、また、欠勤すれば収入が減ってしまい生活が成り立たないため、出社せざるを得ない状況にあった。

感染の危険を感じたAさんは、派遣先と派遣元に対し、派遣社員も社員と同じようにテレワークを認めるよう求めた。しかし、派遣先は、派遣社員にテレワークを認めなかった。これに対し、派遣会社は、Aさんの意向を踏まえ、四月中は自宅待機とし、賃金を全額補償する方向で調整するとAさんに伝えた。ところが、派遣先がこの申し出を拒否したため、結局方針は変わらなかった。

このやり取りをする間、まずは自宅待機するよう派遣会社に勧められたAさんは出社していなかった。Aさんは、当然、派遣元が派遣先に許可を取っているのだと思っていたが、派遣先はこれを無断欠勤と判断した。この「欠勤」を問題にされ、Aさんは六月いっぱいで雇止めとなってしまった。

契約の解除が通告された直後、Aさんは、個人加盟ユニオンの総合サポートユニオンに加盟し、派遣元と派遣先に対し、派遣社員にもテレワークを認めることや雇止めの撤回を求めて団体交渉を申し入れた。「派遣でも対等な人間として認めてほしい」という思いからの行動であったが、交渉では、派遣元も派遣先もAさんの要求を正面から受け止めようとはしなかった。

申し入れから半年以上がたち、年明けには再び緊急事態宣言が出され、Aさんと同じように、たくさんの派遣社員がTwitterなどで、テレワーク差別の実態を訴えていた。そうした中で、「やはり、テレワーク差別は許せない」という気持ちを強めたAさんは会社を提訴することを決意した。以下はAさんから筆者に寄せられたメッセージの一部だ。提訴に至った切実な思いを読み取ることができる。

> 労働者派遣制度は、今回のような災害時に、派遣労働者を、有無をいわさず真っ先に差別して、路頭に迷わせてもかまわない、という身分制度のようなものなのでしょうか？　もしそうであるなら、労働者派遣制度の存在自体が、おかしなものです。両社の責任を、追及したいと思います。派遣労働者も、感染対策や雇用の継続が必要な、社員と同じ人間です。私のようにテレワーク差別に遭ったり、派遣切り・雇止めに遭っているみなさんは、ぜひユニオンに相談してください。一緒に闘っていけたら嬉しいです。

さらに、テレワークの差別が非正規への必要不可欠な業務の押し付けによって横行している相談事例もいくつか見られた。ある四〇代の女性は、派遣で家電メーカー子会社で事務職員として働いている。だが、社員はテレワークになり、出勤率が三割以下になった。自分は週五日出勤で、電話番や給湯室の掃除、荷物の受け取りなど、出社しなければいけない仕事ばかりを担当させられているという。

本来、非正規雇用は責任が軽い分だけ賃金が低く雇用保障も弱いとされ、その「合理性」が喧伝されてきた。労働者は負担の大きさと労働条件を天秤にかけ、正規・非正規を選択しているというのだ。ところが、コロナではこのような建前論はまったく通用しておらず、雇用保障が弱くそのため立場が弱いために、危険な命令も拒否しがたい非正規雇用が格好のターゲットになってしまっている。

テレワークをめぐる非正規差別は違法か？

パート・有期雇用労働法や労働者派遣法は、正社員と非正規労働者との間で、あらゆる待遇について不合理な格差を設けることを禁止している。テレワークでの実施な業務に従事しているにもかかわらず、雇用形態が違うことを理由にテレワークを認めないことはこうした法律に違反する可能性がある。

今年三月に改定された「テレワークの適切な導入及び実施の推進のためのガイドライン」(厚労省)においても、「テレワークの対象者を選定するに当たっては、正規雇用労働者、非正規雇用労働者といった雇用形態の違いのみを理由としてテレワーク対象者から除外することのないよう留意する必要がある」とされている。

だが、現実には、コロナ禍における感染対策という特殊な事情のもとにおいてすら、非正規労働者が差別されてしまう実態がある。そして、その現実を変えるためには、Aさんのように訴訟まで提起しなければならない。

おわりに

シフト制や休業手当など、これまで見過ごされてきた法制度の不備が要因となり、コロナ禍が非正規労働者の貧困を拡大することになってしまった。これを機に、これらの法制度を見直すことが求められる。

同時に、非正規労働者に対する差別をなくすためには、その権利行使をサポートする労働運動の役割が重要だ。非正規労働者が最低限の休業手当の支払いすら受けることができないのは、彼らが未組織であり、使用者との非対等な力関係のもとに置かれていることに原因がある。コロナ禍を契機に、労働運動の再建を図ることが急務となっている。

（二〇二一年七月二〇日）

注

1 野村総合研究所ホームページを参照
https://www.nri.com/jp/news/newsrelease/lst/2021/cc/0301_1

2 首都圏青年ユニオンホームページを参照
https://www.seinen-u.org/post/ シフト制労働黒書

［文学・論壇］

コロナと五輪と戦争のアナロジー

斎藤美奈子

斎藤美奈子（サイトウ・ミナコ）

一九五六年、新潟市生まれ。文芸評論家。一九九四年、『妊娠小説』（ちくま文庫）でデビュー。二〇〇二年、『文章読本さん江』（ちくま文庫）で第一回小林秀雄賞受賞。他の著書に『名作うしろ読み』『吾輩はライ麦畑の青い鳥』（以上、中公文庫）、『戦下のレシピ』（岩波現代文庫）、『学校が教えないほんとうの政治の話』（ちくまプリマー新書）、『文庫解説ワンダーランド』『日本の同時代小説』（以上、岩波新書）、『中古典のすすめ』（紀伊國屋書店）、『忖度しません』（筑摩書房）など多数。

四度の緊急事態宣言と東京五輪

二〇二一年は感染がますます拡大する中ではじまった。

全国の陽性者が七五三七人、東京都の陽性者が二五二〇人（いずれも過去最多）に達した一月七日、政府は首都圏の一都三県に二度目の「緊急事態宣言」を発出。二度の延長を経てこの時の宣言は三月二一日にいったん解除されるも、すぐにリバウンド。四月二五日には三度目の緊急事態宣言（六月二〇日にまん延防止等重点措置に移行）が、さらに七月一二日からは四度目の緊急事態宣言が発出された（八月二二日までの予定）。

特筆すべきは、四度目の緊急事態宣言の決定と同時に、東京オリンピック（以下、東京五輪）の無観客開催が発表されたことだろう（七月八日）。

一度は延期された五輪開催の是非は、春以降、コロナ禍をめぐる最大の関心事だった。「朝日新聞」五月一五・一六日の世論調査では、「中止」を求める声が最多で四三パーセント、次が「再び延期」で四〇パーセント、「今夏に開催」は一四パーセント。四月の調査では「中止」が三三パーセント、「再び延期」が三四パーセント、「今夏に開催」が二八パーセントだったのと比べても、中止を求める声が急増したことがわかる。

メディアに目を転じると、五月二三日には「信濃毎日新聞」の社説（「東京五輪・パラ大会　政府は中止を決断せよ」）が、二五日には「西日本新聞」の社説（「東京五輪・パラ　理解得られぬなら中止を」）が、二六日には東京五輪の公式スポンサーである「朝日新聞」の社説（「夏の東京五輪　中止の決断を首相に求める」）が、それぞれ五輪の中止を訴えた。

それでも中止はおろか、有観客開催に最後まで固執したIOCと菅義偉政権。はたしてこの間、論壇誌はどんな論陣を張っていたのか。五輪を中心に見ていきたい。

五輪中止は共産党の陰謀⁉

五輪に反対している人は反日だ。——「毎日新聞」の報道（二〇二一年七月六日）をきっかけに、安倍晋三前首相のそんな発言が物議をかもしたのは七月上旬だった。

問題の発言は月刊誌『Ｈａｎａｄａ』八月号（六月二五日発売）に掲載された、櫻井よしことの対談の中の一節である。野党は〈菅政権を引きずりおろすために五輪を政治利用している、と言わざるを得ません〉という櫻井の発言に続けて安倍いわく。

〈極めて政治的な意図を感じざるを得ませんね。彼らは、日本でオリンピックが成功することに不快感を持っているのではないか。共産党に代表されるように、歴史認識などにおいても一部から反日的ではないか批判されている人たちが、今回の開催に強く反対しています。朝日新聞なども明確に反対を表明しました〉

安倍晋三はもう、前首相というより「右派メディアのスター」といったほうがいい存在なのでわざわざ指摘するのも詮ないが、安倍の見解では「中止」「再延期」を含めて五輪に反対する八割の世論が「反日」であるらしい。奇々怪々な論理である。

「反五輪＝反日」という認識はしかし、ひとり安倍のみならず、右派論壇誌ではわりと普通の感覚として共有されていた。これら右派メディア（特に『Ｗｉ
ＬＬ』と『Ｈａｎａｄａ』）が新型

コロナウイルス（以下、新型コロナ）に対し、なべて楽観的、冷笑的な姿勢をとってきたことは本企画の「二〇二〇年後半」でもお伝えした通り。こうした楽観論は容易に「五輪開催推進論」と結びつく。

〈日本はこの程度の「さざ波」。これで五輪中止とかいうと笑笑〉（五月九日）

〈日本の緊急事態宣言といっても、欧米から見れば戒厳令でもなく「屁みたいな」ものでないのかな〉（五月二一日）

安倍発言と同じく物議をかもした、前内閣参謀参与・高橋洋一のツイートである。これが原因で高橋は五月二四日、内閣参謀参与を辞任したのだったが、この後の右派論壇誌には高橋擁護論があふれ、高橋自身も自説を補強しながら気炎をあげている（門田隆将との対談「『五輪やめろ！』邪魔する反日リベラルの正体」／『ＷｉＬＬ』八月号など）

右のような認識は、「ＰＣＲ真理教」「コロナ脳」などの侮蔑語で「コロナウイルスを過剰に恐れる人々」をサヨクと決めつける発想の延長線上にあるといえるだろう。

政府与党が五輪開催にこだわったのも、根底には安倍や高橋と同様の認識があったためではなかっただろうか。左は反五輪は共産党の陰謀だとするトンデモ説だ。

〈東京大学の鳥海不二夫教授（計算社会学）が、四月一日から五月九日午前十時までの間、誰にでも確認可能な約一万七百件のツイートを収集、分析を行いました。その結果、辞退を求める投稿を拡散したアカウントのうち、八割近くは「リベラル派」とされるアカウントだったとのこと。／この結果からわかるように、五輪中止を求めているのは、共産党系やリベラル全体主義勢力が大半を占めている。その中には日本医師会も含まれるかもしれません。会員がしんぶん赤旗にたびたび登場し、「五輪中止」を叫んでいますから〉（阿比留瑠偉（あびるるい）「命がけの池井瑠璃子に『辞退』を迫るリベラルの群」／『WiLL』七月号）

もうひとつ右派論壇で目立つのは、来年の北京五輪と結び付けた論調だ。中国にだけは負けたくないという、反中感情と意地がないまぜになった論理。たとえば……。

〈東京五輪が中止になって喜ぶのは誰か。中国共産党である。五輪開催予定日の七月二十沙日は、ちょうど中国共産党百周年のメモリアルと重なる。東京五輪が中止になれば、習近平は「日本をはじめとする国際社会がコロナに負けるなか、中国だけは勝利した」と高らかに謳い上げるだろう。東京五輪中止を求める人たちは、なぜか来年に控える北京五輪の中止を求めない。日本でコロナを騒ぎ立てる人たちの背後に中国共産党の存在が見え隠れする〉（神田忠司「お笑い医療崩壊　日本医師会中川会長のモラル崩壊」／同右）

東京五輪に賛成する人々の論理

五輪反対論が日本共産党や中国共産党の陰謀だなどということは、もちろんあり得ない。傍証のひとつをあげれば、保守論壇の牙城（がじょう）というべき『文藝春秋』である。年明け以降、『世界』も『中央公論』もコロナ論や五輪論から撤退する中、『文藝春秋』七月号は「東京五輪と日本人」と題する特集を組んだ。全体の基調は五輪反対論である。

日本のコロナ対策を旧日本軍と重ねるのは、新型コロナが猛威を振るいだして以来、しばしば用いられてきたアナロジーだが、保阪正康と池上彰の巻頭対談でも同様の見地から東京五輪が批判されている（「リーダーなき国の悲劇」／『文藝春秋』七月号）

保阪〈太平洋戦争の軍事指導者が持っていた病根は、無原則、無思想、無責任の「三無主義」に尽きると考えています。（略）国民に犠牲を強いて、無責任な作戦を強行する。これこそが太平洋戦争以来、日本を蝕む宿痾です〉

池上〈菅首相は、保阪さんがおっしゃった宿痾に取りつかれているのだと思いますよ。（略）「今さらやめられない」という思いがある。東條英機は開戦直前になって、日本の国力ではとても戦争はできないとする報告書が出されたにもかかわらず、「今さらやめられない」と戦争に踏み切りました。同じ失敗をいま繰り返そうとしているのです〉

こうした「識者の論調」に加え、特筆すべきは、めったに政府に方針に逆らわないスポーツ新聞やテレビのワイドショーが、五月頃からこぞって五輪反対論に傾いたことだろう。世論の八割が「中止」「再延期」を望むという状況は、そう簡単につくれるものではなく、誘致の際から五輪に反対だった私にとっても、意外といえば意外だった。

スポーツライターの小林信也は、逆の立場から世論が一方向に流れる風潮を危惧している。

〈「安全安心の具体案もなく五輪開催に進むのは、戦争に突入した当時と同じ」「一億火の玉の再現だ」との論調も目立つ。だが、組織委が懸命に準備を重ねる安全対策に目を向けず、不安を盾に中止を叫ぶ全体論こそ危険ではないだろうか？（略）この矛先が東京五輪はコロナではなく、軍拡や戦争容認であったらと思うと背筋が凍りつく。いまの日本は、不安や怒りで世論が形成され、意図的なメディアやネットの情報に煽られて、多くの国民がひとつの考えに誘導される脆弱な国になっているといえないだろうか〉(「朝日新聞社説が象徴する五輪反対思考の危うさ」/『Ｈａｎａｄａ』八月号「総力大特集　東京五輪はコロナに負けない!」〉

一見もっともらしい論である。だが、五輪反対論がメディアの扇動によるものだ、という説は現状を正しく把握していない。メディアはそもそも五輪でお祭り騒ぎをしたかったし、虎視眈々とその準備を進めていたはずだ。それでも民意に同調し、反対論、懐疑論に乗らざるを得なかった。いわば感染拡大に対する不安が五輪音頭に勝ったのだ。

もちろん五輪関係者にはおもしろくない事態だっただろう。東京五輪招致時の都知事だった猪瀬直樹は、いうに事欠き、大衆を見下す作戦に出た。

〈いま「オリンピック出て行け」などと叫んでいる人たちを見ると、まるで鎖国していたころの尊皇攘夷派と一緒だという気がしてならない。攘夷は、事態が明らかになるとたちまち消え、尊皇開国に転向して何ごともなかったかのように次のステージ、鹿鳴館へと移っていった。ロジックより感情で動いてきたのが日本人だ〉〈実際に五輪が開幕すれば、それだけで世論が劇的に変化する可能性は高い〉(「東京五輪は最大のチャンスだ」/同右〉

猪瀬はあちこちのメディアで同様の駄弁を弄していたが、なりふりかまわぬ五輪擁護論にはもう失笑するしかない。はたして猪瀬が予測した通りになるのかどうか。「はじまってしまった戦争」に日本人がどう反応するのか、ここはしかと見届ける以外にないだろう。

逼迫する医療現場を描いたエンタメ小説

文学の話をしておきたい。作中にコロナ禍を取り入れた作品はすでに相当数が出版されている。二〇二一年七月に芥川賞を受賞した石沢麻衣（まい）「貝に続く場所にて」も、コロナ下のドイツに、東日本大震災で行方不明になった友人（の幽霊？）が訪ねてくる物語だった。が、ここでは新型コロナとの闘いを直接描いた小説だけ紹介する。

海堂尊（かいどうたける）『コロナ黙示録』（二〇年七月刊）は『チーム・バチスタの栄光』にはじまる人気シリーズ「桜宮サーガ」に連なる一冊。医療と政治、二つの現場を行き来しながら二〇年二月〜五月の「第一波」のドタバタぶりを描いている。

物語は二〇年二月初旬、札幌雪まつりを発端に日本で最初にコロナ禍に襲われた「雪見市」の救命救急センターで観光バスの運転手が肺炎で急死するところからはじまり、横浜港に停泊したクルーズ船「ダイヤモンド・ダスト号」の船内の異変を描き、返す刀で厚生労働省（以下、厚労省）の役人や「安保宰三首相」率いる官邸の無能さをあぶりだす。

やりすぎの感もあるものの、二〇年二月の状況を徹底的にデフォルメし、こき下ろしたこの小説の根底にあるのは、トンチンカンな対応で被害を拡大させた官邸や厚労省に対する怒りだろう。緊迫する医療現場とたるんだ官邸のギャップ。北海道の救命センターで医療者のクラスターが発生し、知事は北海道に緊急事態宣言を発出した。それを知った安保首相はいいだすのである。〈あの、緊急事態宣言ってヤツ、やってみたいんだけど〉

夏川草介（そうすけ）『臨床の砦』（二一年四月刊）はぐっとシリアス。二度目の緊急事態宣言が発出された二一年一月の「第三波」に直面した医療現場を描いている。

舞台はベストセラーになった『神様のカルテ』シリーズと同じ長野県。県が独自の緊急事態宣言を出した二一年一月に的を絞った作品だ。地域で唯一の感染症指定病院「信濃山病院」は一年前にクルーズ船の患者を受け入れて以来、専門外の内科医と外科医の混成チームで謎の感染症と闘ってきた。ところが年末から、ようすが一変。目に見えて感染者が増え、呼吸状態も悪い患者が目だつ。若い医師がいう。〈ここ一週間の患者の増え方は異常ですよ。外来だって病棟だって、あっというまに限界に達しているんです。こんな田舎でさえそうなのに、東京なんてもう医療崩壊を起こしているんじゃないですか?〉

海堂尊と夏川草介はともに現役の医師である。作風のちがい、第一波と第三波のちがいはあっても、目の前で起きていることの記録を目的とした、これらは一種のドキュメント小説といえるだろう。医療現場が崩壊していくありさまは戦場のようだ。

一転、榎本憲男『インフォデミック―巡査長真行寺弘道』(二〇年一一月刊)は警察小説。異端の刑事「巡査長真行寺弘道」シリーズの第五弾である。

二〇年春、主人公の真行寺弘道(警視庁刑事部捜査一課の巡査長)は、緊急事態宣言が出された東京で、店や歩行者に自粛を促すパトロールを命じられる。反発しつつ出かけた池袋のライブハウスで、彼は七〇歳をすぎた伝説の女性歌手「浅倉マリ」と遭遇する。

〈私は歌い手なんだから、金をやるから黙ってろと言われて口を閉じてちゃ生きてる価値がないってもんでしょ〉。そう語るマリを中心に、往年の人気バンドが結集し、どこかで大規模なコンサートを企画しているらしい。感染対策は講じないと公言するイベント。クラスター発生の危険性が高い上、このまま政治的な運動にでも発展したら……。

刊行日から考えて、以上三冊は突貫工事で執筆したのだろうと想像される。が、いずれも緊張感を孕んでおり、読者を飽きさせない。それはとりもなおさず、新型コロナをめぐるこの間の状況がそれほど異常だったことを示していよう。『臨床の砦』の主人公はいう。〈今回なんとか持ちこたえたのは、個人の必死の努力と熱意が集まって、偶然、幸運な結果を生んでくれたからに過ぎません。次に来る第四波には通用しないと思います〉

緊急事態宣言下の恋人たちと家族の物語

コロナ禍に遭遇した市井の人々を描いた小説はどうだろう。

五編を収めた金原ひとみの短編集『アンソーシャルディスタンス』（二一年五月刊）には、若い世代を主役にした二編のコロナ小説が収録されている。

表題作「アンソーシャルディスタンス」（初出は「新潮」二〇年六月号）は、一回目の緊急事態宣言が発出された二〇年四月の物語。主人公は、人生がうまくいっていない就活中の女子大生と、社会人になったばかりの彼女の恋人だ。生き甲斐にしていたバンドの公演が中止になったことで、自暴自棄になった二人は心中を企て、旅行に行こうと考える。

ラブホで濃厚接触に励み、鎌倉、江ノ島、熱海あたりではしゃぐ二人。平時なら、なんてことない若い男女の与太話。頻出する性描写に辟易する読者もいるだろう。だがこれが、最初の緊急事態宣言下の物語であることに注目すると、いささか話は変わってくる。県を超えての移動自体、敵視されていた時期である。「ソーシャルディスタンス」という用語を聞いた際、愕然とした若者は多かったはずなのだ。じゃあセックスもしちゃダメなの？

セックスも旅行も、彼らにとってはつまり「反社会的な行為」で、心中という嘘とも本気ともつかぬ企ても、自由が奪われたやるせなさに由来する。〈私たちはコロナに罹っても多分死なない。嫌だなあって言いながら生きてくんだよ。私たちみたいな生きてるのか死んでるのか分からないような弱い人が死ぬウイルスだったらよかったのにね〉

身体的な接触を避けることによって精神的な距離ができる若い男女を描いた、同書所収の「テクノブレイク」（初出は「新潮」二一年一月号）も含め、公には語られにくい「コロナ下の青春」の一断面を巧みに切り取った佳編といえるだろう。

奥田英朗の短編集『コロナと潜水服』（二〇年一二月刊）に収録された同名の短編（初出は「小説宝石」二〇年七月号）はコロナ下で在宅勤務になった男とその家族を描いた物語だ。主人公は三五歳の会社員。妻は毎日勤務しており、保育園が休園したため五歳の息子とすごす日が続いている。その息子がある日〈バアバに電話して〉といいだした。電話口で彼は叫んだ。〈バアバ、今日はお出かけしちゃダメ！〉。遠方に住む母は参加する予定だったコーラスの練習を休んだが、はたして翌週、コーラスのサークルでクラスターが発生した。似たような事態が続き、主人公は考えざるを得なくなる。この子にはコロナを感知する超能力をある!?

一見ファンタジー風の「よくできた小話」である。だがこの小説の眼目は、息子の態度で

「自分はコロナに感染した」と主人公が確信した後にある。家庭内で自主隔離すると宣言した彼は、医療用の防護服のかわりに、妻が古道具屋で調達してきた宇宙服もかくやの、旧式の潜水服一式を身につけて出歩くようになる。ゴム引きの帆布のつなぎに、丸いガラス窓のある球形のヘルメット。その奇妙な姿はたちまちネット上で話題になるが……。

いま必要なのは論より記録

感染症が収束を見ていない段階で、文学には何ができるのか。答えはわりと簡単。「記録」である。海堂尊と夏川草介は医療現場の悲鳴を描き、榎本憲男は自粛を命じられた芸能関係者の呪詛をすくい上げ、金原ひとみは若者たちが暴走する姿を、奥田英朗は平凡な家族のドタバタ劇を切り取った。フィクションだから事実そのままではないものの、それゆえよけい緊急事態宣言下の日本がいかに奇っ怪な状態にあったかが思い出される。未知のウイルスに世界中が恐怖していた昨年の緊張感は、相当に切実で、かつ滑稽だったのだ。

いまの段階で書けるのはしかし「そこまで」だろう。新型コロナを暗喩に利用し、おかしな意味づけを行うと、目も当てられない結果になる。

その悪しき一例が、辻仁成『十年後の恋』（二一年一月刊。初出は「すばる」二〇年八月号・九月号）だ。これはフランスを舞台にした恋愛小説で、パリ在住で離婚歴のあるアラフォー日本人女性と、日本式にいえば還暦を迎えたフランス人男性が恋に落ちる。ところがパリをコロナが襲った。主人公の女性は〈愛とウイルスは似ている〉と考える。

〈愛にも無症状の時期がある。感染しているのに、症状が表に出るまで、つまりそれが愛だと気付くまでに私のように時間がかかる場合もあった〉〈愛も軽症で済む場合と重篤化する場合があり、私は明らかに後者であった。気が付かないうちに愛に感染していて、ある日、不意に重症化し、自分ではもうどうすることもできなかった〉

「ウイルスと愛」に関する陳腐なゴタクというしかない。主人公はこの後、本物の新型コロナに感染。朦朧（もうろう）とした意識の中で〈君を失いたくない〉という恋人の声を聞くのだが、あえていう。パリ在住の辻仁成はこんな寝ぼけた恋愛小説ではなく、ロックダウン下のパリのようすをルポルタージュのような意識で正確に記録すべきだったのだ。

石井正美『感染症文学論序説—文豪たちはいかに書いたか』（二一年五月刊）は、明治から昭和戦前期まで、感染症を描いた日本文学を渉猟（しょうりょう）した異色の文学史だが、これを読んでもいま心にしみて役に立つのは、記録の精神に基づいて書かれた作品だ。

ダニエル・デフォー『ペストの記憶』が出版されたのは一七二二年。彼が作品の素材にしたロンドンのペスト禍は一六六四年からはじまっている。つまり前の東京五輪の頃の出来事をいま書いているのと同じくらいの月日が、その間には流れている。先の戦争を描いた大作が続々と出版されたのも敗戦から三〇年が経過した一九七〇年代だった。ある出来事が文学的価値の高い作品に結実するには時間がかかる。パンデミックの記憶は忘れやすい。だからこそ、いま必要なのは性急な「コロナ論」ではなく「コロナの記録」だと思うのである。

（二〇二一年七月二〇日）

［ネット社会］

職場で一人の女性が死んだ

CDB

ＣＤＢと申します。

Twitter を中心に好きな映画や人物について書いています。

映画ブログ　https://www.cinema2d.net

note　https://note.com/774notes

Twitter　https://twitter.com/c4dbeginner

まず最初に書いてしまうと、前回の『定点観測 新型コロナウイルスと私たちの社会 二〇二〇年後半』の原稿を書き終えたあと、僕の職場では大規模なクラスター感染が発覚し、最終的にはいくつかの部署が業務停止に追い込まれた。いつどうしてどうなって、どれくらいの規模でという詳細は書けない。特定されてしまうと非常に困るからである。なので詳細は書かないか、もしくは煙幕ではないけど微妙に変えて書くことを許してほしい。

こうやって身分不相応なところで文章を書かせて頂いてはいるものの、本質的には僕はプロのライターでもなんでもなく、時給なんぼで働く吹けば飛ぶような非正規雇用なのである。会社や周囲の人たちは僕がネットでものを書いている人間だなどとは夢にも思っていない。僕も正体を知られたくないし、彼らの生活を脅かしたくはないし、企業を炎上させたいわけでもない。

でもあえていうなら、ことの経緯は相当に厄介で、なんというかすごく象徴的だ。当たり前の話だけど、国家というマクロで起きていることは、職場というミクロの場所でも相似形で起きるという意味で。

疑心暗鬼に満ちた職場

職場で新型コロナウイルス（以下、「新型コロナ」または「コロナ」）の感染者が出ているらしい、というのは去年から知っていた。らしい、というのは極めてあいまいな形で情報が伝わってくるからだ。誰々さんがもう何日も休んでいる、おかしいんじゃないか、という噂話として。でもそういう噂話がすべて事実だとは限らない。前回の定点観測で書いたように、僕だって謎の高熱で病院に行き、ＰＣＲ検査で陰性と判定されたものの、何日も会社を休むことになったからだ。周囲からは完全に「あの人はたぶん……」という目で見られていたし、おそらく今だって腹の中では「本当はコロナだったんでしょ」と思われてるはずである。

会社が発表するのは「我が社で感染者が合計何人出ている、各自気をつけるように」という発表だけで、「誰々さんがコロナで休むことになりました」とは発表しない。まあそれはプライバシーの面から理解できる。でもそれは逆に言えば、休んでいるすべての人間が疑われるということでもある。

職場に復帰して「どうしたの、大丈夫だったの」と聞かれれば、「いやこれこれこういうわけで、コロナじゃなかったんですよ」とは答える。でもその答えがどこまで信用されているかはわからない。まるで人狼（じんろう）ゲームだ。

職場で感染者が出始める前、僕がイメージしていたのは「感染者が出る→濃厚接触者として同僚に検査が行われる→感染者が発見される」というプロセスだった。でも実際に感染者が出てみると、同じ部屋の職員にすら検査の話などこなかった。あるいは他の会社ではちゃんと検査をしているところもあるのかもしれない。でも僕の職場で起きたのは「誰かが発熱する→病院で新型コロナ陽性であることが確認される→当人は休み、他の職員は普通に働く→そのうちまた誰かが体調を崩し、また新型コロナであることが発覚する」というサイクルであり、そのうちのこのサイクルの規模が早く、大きくなって職場は崩壊した。

これはまあ、国がやっていることのミニチュア版と言っていいと思う。日本社会の縮図がここに……なんて力むまでもなく、要はどうしていいかわからないので上がやってることになんとなく従い、そして上と同じように失敗しているわけだ。「発熱↓検査↓発覚↓休職」のプロセスしかないので、特に症状もなくウイルスをばら撒いている無症状感染者がいた場合、まったく発見されない。その人が無症状のまま回復する（という言い方も変だけど）までウイルスは拡散され続け、そしてそのころには何人かの「発熱↓休職」者と、次の無症状感染者が発生している。「活発に行動する若い世代には症状が現れない」というのは本当によくできたウイルスである。まるで花粉を運ぶミツバチのように、無症状者がウイルスを運び、そして弱い個体を殺すわけだ。インフルエンザとはまったく違う。

PCRとSNS

日本のSNSにおいて、PCR検査というのは去年以来えんえんと論争の争点だった。今思えばそれは不思議な光景だった。「PCR検査をすべきか、すべきでないか」なんて論争は日本以外ではあまり見かけない議論だった。アメリカも中国も、その国力にものを言わせるように凄まじい数のPCR検査を投入した。検査と隔離、ワクチンが完成するまではそれが最善の対策であることは明白だった。

日本ではそうではなかった。「PCR検査は高度な専門家でなければできない」「検査の場所で感染が広がる」「感染しているのに発見されない場合もあり（偽陰性）、その人たちが安心して感染をひろげてしまう」「感染していないのに間違って感染判定され（偽陽性）、病院がパンクする」という検査抑制論が展開された。実を言うと、僕も去年のある時期までこちらをなんとなく信じていた。なんとなくおかしいなあと思いつつ、医療者を名乗るアカウントが何人も言うのなら、僕には分からないがそうかもしれないと思っていたのだ。

去年は優勢だった検査抑制論は今、もうその勢いはない。東京五輪の開催を前に、政府与党が明確に「検査拡大」に舵を切ったからだ。

「自民、全職員にPCR検査実施へ　党本部コロナ陽性確認[1]（「時事通信」二〇二一年一月二九日）
自民党、希望する議員と家族にPCR検査　党本部が全額負担[2]（「東京新聞」二〇二一年二月二四日）
選手は入国後 原則毎日検査 東京五輪・パラ プレーブック更新[3]（NHK 二〇二一年四月二九日）

これらはすべて、去年SNSで「むやみな検査拡大は逆に感染を拡大させる」という訳知り顔の攻撃の的になっていたはずの方策であるはずだ。なにしろ「検査のキャパシティがない」という声に答えようとソフトバンクの孫正義社長が大量のPCR検査キットを調達しようとしただけでネットの猛攻撃にあい、取り下げざるをえなかったのである。だが今、自民党が東京五輪の開催のために推し進める検査拡大路線を前に、「愚かな検査拡大論をクールに退ける」というSNSのスタイルはまるで春の雪のように縮小し、消えつつある。

検査が拡大しているのは五輪周辺だけではない。去年、まだ感染者が今よりもはるかに少なかった春の段階で、朝の連続テレビ小説『エール』、大河ドラマ『麒麟がくる』、そして多くの民放ドラマが収録中断に追い込まれた。だが、それよりはるかに感染が拡大した二〇二一年六月の今、朝ドラも大河も、そして民放ドラマにバラエティもごく普通に放送されている。それはなぜか？　ひとつの参考として、三六〇万フォロワーを数える橋本環奈（かんな）のTwitterから引用しよう。

> 近況という程ではないですが、、、
> 撮影の為にPCR検査を何度も受けてるんですが、唾液取る為に梅干しやレモンの写真見てます。それだけです。。😅
> 今年めっちゃ受けてるけど毎回ドキドキする、、[4]

こうした発言は橋本環奈だけがしているわけではない。二四時間で消えてしまう「インスタグラムストーリー」という機能があるのだが、そこでとある有名な女優は「週一のPCR検査陰性でした」というコメントを投稿している。（女優の名前を書かないのは、二四時間で消えるメディアに投稿するというのはあまり残したくないという場合があるので、いちおう配慮した。「抗原検査」と書いてる場合もあるが、いずれにせよ定期検査が行われているわけだ）

別に驚くには当たらないだろう。広瀬すずも石原さとみも、無症状のまま定期的なPCR検査を受け、そして感染が発見されているのだ。「検査の現場で感染が拡大する」「偽陽性が大量に出る」とSNSで言われた現象は起きていない。

「検査拡大派の連中は、PCR検査をすれば感染を根絶できるとでも思っているんですかねえ……」というのは、去年SNSで決まり文句のように語られた言葉だ。それを語っていた人たちの多くは今、「私がいつ、PCR検査をやめろなどと言いましたか？ 私はただ、PCR検査だけでは感染症を根絶できないという当たり前のことを言っていただけですよ」という論に切り替えている。実によく仕組まれた言い回しで、「PCR検査だけではダメ」という当たり前の言葉がSNSの中で、「だからPCR検査を拡大する必要はないのだ、今の状況は正しいのだ」と誤読されることを計算して発せられた言葉だったわけである。

まかりとおる暴論

六月二〇日の『日曜報道 THE PRIME』では、PCR検査について橋下徹氏の驚くべき発言もあった。一九日に来日したウガンダ五輪代表団が成田空港内で新型コロナの抗原検査を行い、一人がPCR検査での陽性が確認されたことについて、ゲスト出演していた加藤勝信官房長官は、五輪関係者には、入国する際のルールなどが書かれているプレーブックが渡されているとし、「出国する前、四日以内に二回。二回目は三日以内に検査してくださいと。入国時に検査をして、入国後は毎日検査をしてくださいと、こういうオペレーションになっています」と説明した。

橋下氏の奇妙な発言はその後である。「ちょっと本題から外れるんですけども」と前置きした後、「こういう状況を見てもらえればね、今までずーっと、PCR検査を『いつでも、だれでも、どこでも、みんなでやることによって陽性者を隔離する』なんてことを言ってた人、たくさんいますけど、（隔離は）できないんですよ、一回のPCR検査では」「何回も何回も繰り返し（検査）することによってしか、こういうふうに対応できない。とにかくむやみに検査拡大を言ってた人たちは、よくこれを見て反省してもらいたいです」と述べたのである。

こうして文字にして読むとよくわかるが、橋下氏は奇怪きわまるロジックを振り回している。加藤官房長官の説明した「出国四日以内に二回、二回目は三日以内に検査、入国時にも検査、入国後は毎日検査」という東京五輪のシステムは、まさしく橋下氏の批判する「検査拡大論」の実現形態であり、だからこそ無症状のウガンダ代表の感染を発見できたわけである。「何回も何回も繰り返し（検査）することによってしか、こういうふうに対応できない」（橋下氏）からこそ「検査を拡大して何回も検査しよう」というのが検査拡大論であり、実際の話、それ以外のどんな方法でもウガンダ代表の感染を発見し感染拡大を阻止することなどできない。にもかかわらず、彼は「検査拡大によってウガンダ代表の感染を発見した」というニュースに対して「とにかくむやみに検査拡大を言ってた人たちは、よくこれを見て反省してもらいたいです」と強引に話をしめくくるのである。その後の反論はスタジオの誰もせず、番組は次に進む。

まるで「バケツ一杯や二杯の水では火事が消えないこともあるではないか、消防車を増やせと言っていた人たちは反省してほしい」というような奇妙な理屈は、文字にして読めば誰にでもその奇怪さがわかる。だが橋下氏は、文字の出ないテレビで早口で叱りつけるような口調でまくしたて、最後を「反省してほしい」としめくくれば、相当な数の視聴者が「なんだかわからないが、これだけの剣幕で橋下徹が反省を求めるのだから、彼の持論が正しかったのかもしれない」と思い込むであろうことを計算している。それがテレビのバラエティタレントからのし上がってきた彼の政治手法である。その手法は「日本維新の会」という政党全体、吉村洋文（ひろふみ）大阪府知事に共通している。

「検査で安心するよりも、みんなが自分が感染していることを前提に行動すればいいのだ」という、一見もっともらしい話も去年のSNSではよくバズった。だが、その前提なら五輪など開催できるわけがないのである。ちょっと考えればわかる。検査で新型コロナ陽性と判定されて会社に出勤するバカはいないわけだが、「ええと、検査は特にしていないのですが、感染拡大防止のために自分が陽性であることを前提に行動したいと思いますので、公休あつかいで会社を休ませて頂けないでしょうか」と職場に電話をかけて上司が納得するだろうか？

自分が感染していることを前提にみんなが行動したら、社会的インフラのほとんどが停止するわけだし、老人や病人の介護は誰もできなくなってしまう。SNSで流れてくるぶんにはなんとなくもっともらしいが、実際にはまるで現実性のない話にうんうんと頷いていたわけである。

「まるで逆」のことを強引な剣幕で押し通すという意味では、六月二三日にウェブ記事として配信された川淵三郎・五輪村村長のインタビューもすさまじかった。

「返上すれば、日本人は意気地がない、世界的なイベントを成功させる気概がないのかと、世界から蔑視（べっし）される可能性があることを誰一人語っていない。日本は臆病風に吹かれて、国を挙げた努力もしなかったという汚名が何十年、百年以上残る。子孫のプライドをおとしめるようなことを今の人たちがやっていいのか」[5]

海外にそんな世論はない。公益財団法人「新聞通信調査会」が二〇日に発表した、米国、フランス、中国、韓国、タイの五カ国で行った世論調査結果では、新型コロナが収束しない中での東京五輪・パラリンピックの開催について、「中止すべきだ」と「さらに延期すべきだ」を合わせた回答が、すべての国で七割を超えている。[6]

「中止・延期」を合わせた数字はタイの九五・六%を最高に、韓国が九四・七%、中国は八二・一%で、米国は七四・四%、フランスは七〇・六%だった。「開催すべきだ」は最も高いフランスでも二五・八%で、米国は二四・五%、中国は一七・九%だった。タイは四・四%、韓国は三%にとどまった。

川淵村長はさらに続ける。

「マスコミの誘導だよね。全てと言ってもいいぐらい、ワイドショーの司会が反対の立場でモノを言う。これはダメだ、ばかりで、こうすれば良くなるという議論をほとんど聞かない。日本全体が病んでいるとしか思えない。昔、全部の新聞社が戦争をやろうとあおって、国民も賛成した風潮とまるで変わらない」

もちろんこれは倒錯した理屈だ。どう考えたって戦争を煽った戦前の社会に似ているのは、人命と五輪を天秤にかけて「臆病風に吹かれたと子孫が恥じるぞ」と怒鳴り散らしている川淵村長の方である。だがそんなことは関係ないのだ。社会はもう、声の大きさと感情の激しさで相手を圧倒する方向に流れつつある。

宣伝戦の戦場としてのSNS

それは五輪推進派に限らない。水泳の池江璃花子（りかこ）選手は五月七日のTwitterに以下の文章を投稿した。少し長くなるが、紙の媒体に残しておきたいので全文転載させてほしい。

私たちアスリートはオリンピックに出るため、ずっと頑張ってきました。ですが、今このコロナ禍でオリンピックの中止を求める声が多いことは仕方なく、当然のことだと思っています。私も、他の選手もきっとオリンピックがあってもなくても、決まったことは受け入れ、やるならもちろん全力で、ないなら次に向けて、頑張るだけだと思っています。

一年延期されたオリンピックは私のような選手であれば、ラッキーでもあり、逆に絶望してしまう選手もいます。持病を持っている私も、開催され無くても今、目の前にある重症化リスクに日々不安な生活も送っています。私に反対の声を求めても、私はなにも変えることができません。ただ、今やるべき事を全うし、応援していただいている方達の期待に応えたい一心で日々の練習をしています。

オリンピックについて、良いメッセージもあれば、正直、今日は非常に心を痛めたメッセージもありました。この暗い世の中をいち早く変えたい、そんな気持ちは皆さんと同じように強く持っています。ですが、それを選手個人に当てるのはとても苦しいです。

長くなってしまいましたが、わたしに限らず、頑張っている選手をどんな状況になっても暖かく見守ってほしいなと思います。

普通に読めば、現役のアスリートから「今このコロナ禍でオリンピックの中止を求める声が多いことは仕方なく、当然のことだと思っています」という言葉が出るのは衝撃的なことである。「中止になってもならなくても、決まったことは受け入れる」とまで言っている。だがSNSでは、この池江選手の投稿に対し、「五輪反対の意志を明確にしなかった」「私たちの批判を封じようとしている」という批判が巻き起こった。半年前に二〇歳になったばかり、白血病で生死の境から復帰した選手に対し、呼び捨ての罵倒が飛び交った。正直言って、SNSでは見慣れた光景だ。「味方でなければ敵」「中立は加担」のスローガンのもとに、ネットの上でだけ運動は先鋭化していく。

もちろん先鋭化した運動は逆襲の絶好のターゲットになる。六月二九日の「共同通信」は次のように伝えている。

「日本オリンピック委員会（JOC）が七月二三日に開幕する東京五輪に合わせ、選手の会員制交流サイト（SNS）などに書き込まれる誹謗中傷を監視するチームを設置することが二九日、関係者への取材で分かった。初の取り組みで悪質な場合は捜査機関などへの通報も想定している」[7]

SNSはもう世界中で、宣伝戦の戦場になりつつあるのだ。[8]

この原稿の締め切りギリギリになってから、東京五輪についての狂ったニュースが次々と飛び込んでくる。ワクチンの不足、隔離施設の不備、すべてがドタバタだ。この本が書店にならぶころには、たぶん東京五輪がどんな結果に終わったかという未来を読者の方がよく知っていると思う。なんとか乗り切っていてくれることを祈りたいが、今の時点ではブレーキの壊れた車で下り坂につっこむ気分だ。それを書くのは、たぶん機会があれば次号になるだろう。

だが書いておきたいのは、そもそも二〇二一年ではなく、二年延期の二〇二二年開催の案があったということである。「朝日新聞」によれば、官僚も組織委もそちらに傾いていたとのことだ。森元会長の「二年延期した方がいいのではないか」という声を押し切って「日本の技術力は落ちていない。ワクチンができる。大丈夫です」と二〇二一年の開催を決断したのは、森喜朗氏本人が「朝日新聞」の語るところによれば、当時の安倍前総理である。それだけは記憶しておきたい。[9]

最後にもういちど、僕の職場の話に戻っていいだろうか。感染拡大が続くある日、職場で一人の女性が死んだ。もう六〇歳をとっくにこえてパートで働いている高齢の女性で、職場で浮き気味な僕によく話しかけてくれ、お菓子をくれた人だった。彼女はコロナで死んだわけではなかった。持病の発作を起こして救急車で運ばれたが、間に合わず亡くなったのだ。

その「間に合うかどうか」のタイミングに、コロナで逼迫する医療体制がどれくらい影響したのかはわからない。そういうことは誰も発表しないし、彼女の死はこの新型コロナの死者には計上されない「ただの病死」として数えられる。

彼女の葬儀で、僕は初めて彼女の娘さんやお孫さんに挨拶をした。彼女と同じように、高齢の女性、持病や障害を持つ多くの人たちが僕の職場で働いている。もしかしたら相手が自分を殺すウイルスをひそかに持っているのではないか、と疑いながら、東京五輪の近づく社会の中で。

（二〇二一年七月一四日）

注

1 https://www.jiji.com/jc/article?k=2021012900903&g=pol
2 https://www.tokyo-np.co.jp/article/87906
3 https://www3.nhk.or.jp/news/html/20210429/k10013004281000.html
4 https://twitter.com/h_kanna_0203/status/1374922928958017537?s=21
5 https://www.sponichi.co.jp/sports/news/2021/06/23/kiji/20210623s00048000151000c.html
6 https://www.jiji.com/jc/article?k=2021032100111&g=int
7 https://nordot.app/782604287246188544
8 https://nordot.app/782604287246188544
9 https://digital.asahi.com/articles/ASN306X98N30UTQP01N.html
https://digital.asahi.com/articles/ASP715K87P6YUTIL066.html

［日本社会］

コロナ禍中脱力ニュース（2021年前半）

辛酸なめ子

辛酸なめ子（シンサン・ナメコ）

一九七四年、東京都生まれ、埼玉県育ち。漫画家、コラムニスト。武蔵野美術大学短期大学部デザイン科グラフィックデザイン専攻卒業。大学在学中から執筆・創作活動をスタート。人間関係、恋愛からアイドル観察、皇室、海外セレブまで幅広く執筆。著書に『辛酸なめ子の世界恋愛文学全集』（祥伝社文庫）、『スピリチュアル系のトリセツ』（平凡社）、『愛すべき音大生の生態』（ＰＨＰ研究所）、『女子校礼賛』（中公新書ラクレ）、『無心セラピー』（双葉社）、『電車のおじさん』（小学館）、『新・人間関係のルール』（光文社新書）ほか多数。

コロナのニュースばかり追っていてふと疲れた時、脱力できるニュースを見つけると少し心が安らぎます。コロナとは無関係に、事件に巻き込まれたり話題を振り巻いてしまう人々にはむしろ感謝したいです。今年の上半期に話題になった、コロナを感じさせないニュースを取り上げさせていただきます。

チベットのイケメンが大ブレイク

マスクで人の全顔を見る機会が減ってしまった今、イケメンの需要が高まっています。四川省甘孜州（カンゼ・チベット族自治州）の理塘県に生まれ育った素朴な青年、丁真が二〇二〇年一二月頃から話題になり、日本でもブレイク。たまたまこの小さな村に旅行に訪れた写真家が撮影した丁真の動画が世界で拡散されました。山を背景に笑顔を見せる丁真の、精悍さと甘さとピュアさがうずまくルックスはもはやアイドル級。片耳ピアスや民族衣装の重ね着もおしゃれです。

その後、チベット族自治区政府によって「丁真的世界」というプロモーション映像も制作されました。自然の中で「ヒャーホホゥ!!」と叫ぶ丁真の声に心が洗われます。丁真は地元の旅行会社に採用され、観光イメージ大使として活動。四月のアースデイには「地球を守る」というテーマで英語でスピーチもしたそうです。空気がきれいで風光明媚な理塘県は世俗からディスタンスを保っていて、いろいろな意味で安全そうです。

モナコの公妃が半モヒカンにイメチェン

モナコ公国のアルベール二世大公の妻で美貌のシャルレーヌ公妃がパンキッシュなヘアスタイルにイメチェンしたのが話題になりました。そのヘアスタイルは……左半分を刈り上げた半モヒカンヘア。現代アーティストの榎忠（えのきちゅう）氏を懐かしく彷彿（ほうふつ）とさせるスタイルですが、超美人なのでなんでも似合ってしまいます。SNSでも、「かっこいい」「ゴージャス」「スタイリッシュ」と好評でした。インタビューでは「これは私の決めたことです」「私はずっとこのヘアスタイルをしたかったし、とても気に入っています」などと語っています。「難しい問題が山積している二〇二一年には、もっと注目すべき大事なことがたくさんあります」とのことで、おっしゃる通りです。ロイヤルファミリーでも自分が好きなスタイルをやり抜く公妃の姿に女性として鼓舞されます。

「Clubhouse」が瞬間的にブームに

「Clubhouse」（音声版SNS）の二月頃の熱狂はなんだったのでしょう。入るのが招待制という特別感もあって、初期は有名人やIT系の識者も多く賑わっていました。イーロン・マスクやオードリー・タン、ナオミ・キャンベルなどの世界的なセレブの生声を聞けたこともありました。当初、招待されない人はヤバいくらいの勢いだったのが、四月、五月頃には沈静化……。消費されるのが早すぎです。

これまでの流れを振り返ると、一月、二月に入った意識高い系の人々が「Clubhouse」を牽引。日本人だらけのルームで英語でトークしたり、「ステイトメント自体がパブリシティで……」「ジャスティスを加えて……」といったワードが飛び交っていました。「CEO」「起業家」「経営コンサルタント」といった肩書きの人もやたら多く「クラブハウサージャパン上級メンバー」と、謎の特権階級を名乗る人や、経歴詐称する人も。「売上六億円達成」「起業一年目で一億二〇〇〇万」と、生々しく稼ぎをアピール人も散見されました。いっぽうで何も話さずお互いフォローし合い、フォロワー数を増やすためだけの「無音部屋」という日本特有のカルチャーも発生。

まるで「意識の格差社会」のような「Clubhouse」。「意識高い系」の存在が、利用者の対抗心に火を付けて、自分を盛って大きく見せるのに疲れて、夢破れて去っていった人が多いという印象です。六月現在、ネットワークビジネスや自己啓発、占いなどのルームは根強く続いていて、野望の残り火がくすぶっています。

猫の顔

リモートで裁判も開催されるこの頃。二月にアメリカ、テキサス州の地方裁判所が「Ｚｏｏ

m」を使って裁判を開いたところ、弁護士の手違いでハプニングが発生。ロッド・ポントン弁護士がZoomでオンライン訴訟手続きに参加しようとしたら、猫フィルターがかかっていて外せなくなってしまったのです。秘書のコンピューターを借りたことで起こった珍事。かわいい子猫がおじさんの声で「ここにいるのは私です。猫ではありません」と説明する動画がシュールでした。癒し系の猫弁護士の姿に、判決が甘くなってしまわないか心配です……。

シロテテナガザルの謎の出産

三月、長崎県佐世保市の九十九島（くじゅうくしま）動植物園森きららで、おりの中で一匹だけで飼育されていたメスのシロテテナガザル、モモ（一〇）が、いつの間にか出産していたという謎めいたできごとがニュースになりました。オスと接触できないはずなのに不思議です。まさか飼育員さんが……という不埒（ふらち）な思いが一瞬よぎりましたが、写真を見ると両親はまちがいなくサルのようです。モモは美猿なので、知らずのうちに周りのオスザルに見初められていたのでしょうか……。隣のおりにいるサルたちが父親候補として浮上しましたが、両隣のおりとは鉄網や板で仕切られていて、鉄の網目は一センチ四方。仕切りの鉄製の板の穴は直径九ミリだそうで交配は難しそうです。

もしかしたら処女受胎……生まれてきたのは猿界の救い主かもしれません。

動物たちの交尾や出産のニュースに
癒された21年前半

上野動物園のシンシンと
リーリーが交尾し、
その後妊娠の兆候が……

佐世保市の動物園で
一頭だけで飼育されて
いたメスのシロテテナガザル
が謎の出産

今、地球人類は苦境にありますが、
動物たちの繁栄がたのもしいです

スエズ運河でコンテナ船が座礁

世界最大級のコンテナ船で、台湾の海運会社のエバーグリーンが運航している「エバーギブン」が、世界の海運の要であるエジプトのスエズ運河を塞(ふさ)ぐ形で座礁。船の所有は日本の正栄汽船ということもあり、このニュースをハラハラしながら見守った人は少なくないことでしょう。約一週間に渡って運河を塞いでしまい、その間の損害額は大変な数字に。

そこで立ち上がったのがユリ・ゲラーです。スプーン曲げならぬ念力の力で船を曲げようと、メディアを通じて呼びかけました。午前一一時一一分と午後一一時一一分に船が移動するイメージを念じてほしい、と……。その後、船がタグボートに引っ張られ、〇・四度ほど右に曲がりました。その後、多くの人の尽力でコンテナ船の座礁が解消され「やった！私たちが船をリリースした!!」と声高らかに宣言したユリ・ゲラー氏を、世界中の人々は生暖かい目で見つめるのでした……。

座礁したのは、ちょうど同じ頃、博物館にファラオのミイラ二二体を移送する予定だったから、というファラオの呪い説も浮上。さらに別のアノン系の陰謀論者たちが、「エバーグリーンは人食いレプティリアン、ヒラリー・クリントンのコードネームで、コンテナ内には誘拐された子どもたち七〇〇〇人が収容されていたのを、トランプの軍隊が救出した！」とか言って盛り上がっていました。相変わらずすごい発想力。情報が錯綜(さくそう)しています……。とりあえず、スエズ運河庁が船主らに求めていた損害賠償額が九億六一〇〇万ドルから約六億ドルに値下げしてもらってよかったです……。

小室文書の発表

眞子様とのご結婚問題が膠着状態の小室圭さんが、満を持して四月に「小室文書」を発表。日本中の人々の時間と体力を吸い取る長文で、二八枚にも渡っていました。お金を用立ててくれた母親の元婚約者男性を（文書に関わった眞子様と共に）、追い詰めるような内容で、誠意が感じられないと炎上してしまいました。正当性を主張したいという思いばかり伝わってきて、人間の優しさとか情けは感じられない「小室文書」。また、この文書で小室さんが何かあるとすぐ録音する男性だということがわかり、世間はドン引き。ついに週刊誌に「コムロ禍」とまで書かれてしまいました……。このまま小室さんはコロナ禍を利用して日本に帰らないまま、アメリカで結婚生活を強行してしまいそうです。

ヘンリー王子の役職名

日本の小室さん以上に話題を振り巻いているのがＬＡ在住のヘンリー王子とメーガンさん。王室を批判するようなインタビュー番組出演が世界をざわつかせました。また、六月にメーガンさんが第二子の女の子を出産。リリベット・リリ・ダイアナ・マウントバッテン・ウィンザーと名付け、「リリベット」がエリザベス女王の私的な愛称だったので、失礼なのでは？とまたもや物議を醸しています。貴族アピールが激しい名字も気になります。メーガンさんの上昇志向はとどまるところを知りません。（小室さんもむしろここまで志気があれば……）

先日、ヘンリー王子の新しい役職名でも話題を巻き起こしていました。メンタルヘルスにまつわるコーチングやサポートを提供する会社「BetterUp Inc.」に就職したヘンリー王子は、彼のために作られた「チーフ・インパクト・オフィサー」という役職名を授与されました。略して「ＣＩＯ」。しかし「ＣＩＯ」というと通常は「チーフ・インフォメーション・オフィサー」（最高情報責任者）の省略形です。混同を避けるために「ＣＨＩＭＰＯ」と略すことになったというニュースが。日本で男性器を示す言葉であることも世界中に拡散されてしまいました。名刺の肩書きに「ＣＨＩＭＰＯ」と書かれていたりするのでしょうか？　イギリス王室のブランド感が……権威が……日本も他人事ではありません。

45股男の出現

このニュースが出たことで、直前まで世間を騒がせていた、電通４股男のニュースはかき消されてしまいました。詐欺容疑で逮捕された宮川容疑者（三九）。45股をかけて女性をだまし、水素水を買わせたり、嘘の誕生日を言って金品を搾取したりしていたセコい不届き者です。写真を見ると川越シェフと田中圭を足して割ってちょっとやさぐれさせたような絶妙なルックスで、心の隙間に入り込んできそうです。女性の容姿をホメて心をつかみ、「俺が六歳のときに母は死んでいる。でも一生自分と人生をともにする人には一生健康でいてほしいから」などと情に訴え、水素水の購入契約を迫っていたとか。電通4股男と共通しているのは、ネットで被害者たちがつながって結託。相談し合い、シスターフッドが芽生えているところでしょうか。人と会いにくい今、強いアプローチで会おうとしてくれる男性は貴重だと思ってしまいがちです。世の女性に警鐘を鳴らす事件でした。

ビル・ゲイツ離婚

二七年も連れ添った、マイクロソフト創業者のビル・ゲイツ氏とメリンダ・ゲイツ氏が五月に世紀の卒婚。「人生の次の段階において、夫婦としてともに成長していけるとは思えないのです」というコメントに、さすが慈善事業に巨額のお金をつぎ込んでいるパワーカップルだけに意識が高い……と思ったのですが、あとから次々と疑惑が浮上。ビル・ゲイツ氏のセクハラや不倫、未成年女子人身売買のエプスタインとの親交……。メリンダの方から三行半を突き付けたのでしょう。隠謀論に詳しい人に、ビル・ゲイツ氏は軽井沢の別荘の地下に宇宙人の死体を隠し持っていて、宇宙人の死体を食べることで不老長寿になろうとしている、という噂を聞いたことがあります。メリンダ氏は、宇宙人の肉を食すという奇行についていけなくなったのかもしれない、と思っていたのですが……そちらの方がまだ平和でした。

まさかストイックな理系男子だと思っていたビル・ゲイツ氏が、女性がらみでやらかしていたとは……。メガネの奥のエロ目に気付けませんでした。

「成功を祝うのはいいが、もっと大切なのは失敗から学ぶことだ」というビル・ゲイツ氏本人の名言が、自分に返ってきていることでしょう……。

変な車おじさんの登場

「今日もなんとなく二台買っといたわ。ははは。嫌味ややつだろ！嫌われたい！」「また買っちゃったよ。車を買うのが日課さ」

連日のようにポルシェやフェラーリ、ランボルギーニなど高級外車やハイブランドを爆買いしている「変な車おじさん」のインスタのアカウントが話題になり、その正体は「エイベックス」の創業者・松浦勝人会長ということが明らかに。自己紹介欄には「持っているお金はすべて、車かレース、ファッションに使ってしまう」とありましたが、途方もないお金持ちであることが伝わってきます。「グッチ、グッチャグッチャ。全部買って捨てました」「寝巻きはヴィトンを使い捨てで」「DIORのスキーウェア全種類買ってたんだけど、全く忘れてるうちに春になってしまった」と、嫌味なのを通り越して爽快感すら感じさせる投稿の数々が。彼のマンションのゴミ置き場に行けばブランド品が拾えたりするのでしょうか？　ただ身バレしたからか最近の投稿はトーンダウンしてソフトになってしまったのが残念です。コロナで不景気な中、経済を回しているありがたい存在かもしれません。

上野のパンダ懐妊

二〇一七年六月に上野動物園で誕生したジャイアントパンダのメス「シャンシャン」は、中国野生動物保護協会との協定によって所有権は中国にあり、二〇二一年一二月三一日までに返還されることになっていました。パンダの子どもが上野からいなくなってしまう……。パンダの経済市場は大きいので、パンダ数が減ることを懸念していたのですが、六月に、なんとメスのジャイアントパンダ「シンシン」が妊娠しているらしいというニュースが！　コロナ禍の日本にとって明るいニュースです。動物園が長らく休園していて、入園者がいなくなったため、パンダ夫妻は静かな環境で愛を確かめ合うことができたのかもしれません。人類の代わりに繁栄してほしいです。

以上が、コロナ禍を少し忘れることができた今年の上半期のニュースです。コロナのニュースを吹き飛ばすくらい強烈な、人だったり動物たちのタフさにあやかりたいです。また引き続き、脱力ニュースで緊張感を緩和していきたいです。

（二〇二一年六月二五日）

［日本社会］

続々・アベノマスク論

武田砂鉄

武田砂鉄（タケダ・サテツ）

一九八二年、東京都生まれ。ライター。出版社勤務を経て、二〇一四年よりフリー。著書に『紋切型社会』（朝日出版社、第二五回Ｂｕｎｋａｍｕｒａドゥマゴ文学賞受賞）、『芸能人寛容論』（青弓社）、『コンプレックス文化論』（文藝春秋）、『日本の気配』（晶文社）、『わかりやすさの罪』（朝日新聞出版）、『偉い人ほどすぐ逃げる』（文藝春秋）、『マチズモを削り取れ』（集英社）などがある。

「概ね配布完了」

これを書いているのは、二〇二一年七月四日だが、アベノマスクは我が家に届いていない。まだそんなことを言っているのか、という声が予想されるのだが、もし、そう思った人がいるならば、厚生労働省のウェブサイトにある「布製マスクの都道府県別全戸配布状況」を確認してほしい。そこには、「全国の世帯に向けて、一住所あたり2枚ずつ布製マスクを配布することといたしました」という宣言文の後に、「都道府県別の配布状況」について「全国で概ね配布完了」と書かれている。行政が出す文書というのは読み取りにくいものが多いが、多少読み取りにくくても、それが事実を正確に伝えるためであるならば一向に構わない。だが、この、「概ね配布完了」という表現はどうか。

辞書を開けば、「概ね」は「多少の例外はあるにしても、全体として見るとそう言えると判断する様子」、「完了」は「動作・作用や事象が完結した状態にあること（を記す表現形式）」とある（『新明解国語辞典』）。というわけで、概ね配布完了、という言葉は、意味を正確に捉えれば矛盾がある。くだけた言い方をすれば、だいたい配り終えました、って感じだが、ひとつの住所につき二枚配布しますと宣言された結果が、だいたい配り終えましたなのである。でも、「概ね」とあるのだから、そうか、これから届くのかな、と思い続けてみるというのは、割と素直な姿勢である。子どもの頃、ミニトマトが苦手だった自分は、母親から「トマト食べた？」と言われると、「あ、うん、だいたい」と曖昧（あいまい）に答えていたのだが、たちまち、母親による査察が始まり、自分の皿にミニトマトのヘタが一つもないことを突き止め、一度よそったミニトマトを再びサラダの皿に戻していたことが発覚してしまった。当然、厳しく叱られる。がんばってミニトマトを口に運ぶ。だいたい、という曖昧さは、そうやってバレる。突き止められ、改善を促される。

厚生労働省の「概ね配布完了」は、赤字で記されている。赤字というのは強調する意味で使われることが多いから、だいたい配り終わりました、という宣言がなぜか強気、って、なかなかお見かけしない事態である。正確な数値は叩き出されていないが、アベノマスクは大量に余っている。どこかで眠っている。出番を待っているわけではなく、もう諦めている。側近の官僚から「全国民に布マスクを配れば、不安はパッと消えますから」と言われた安倍晋三首相（当時）が、そのアドバイスに乗せられて配布を決めたが、不安が消えたかどうか以前に、全国民に布マスクは配られていないのである。赤く光る「概ね」がそれを教えてくれる。

信頼されようと思っていない

新型コロナウイルスの感染が拡大する世の中を生きて、もう一年半になる。色々なことがあったような気もするし、何もなかったような気もする。でも、そう思えるのも、自分や、自分の近しい人が深刻な目に遭わずに暮らしてきたからで、感染した人はもちろん、これまでの営みが根本的にひっくり返されてしまった人も少なくないだろう。経済指標には出てこない個々人のしんどさを想像しながら対応を考えるのが政治の役割だが、布マスク配布で不安がパッと消えると予測していた人たちは、その行為を、今に至るまでずっと怠っている。

国から私たちに配られたものは布マスク二枚（ただし「概ね配布完了」）と、特別定額給付金の一〇万円、たったの一回きりである。緊急事態宣言、まん延防止等重点措置など、感染者が増えてきたから協力して生活を制限してくれよ、という指示は繰り返し出されているのだが、補償については、わかりにくい制度を並べて、なるべく申請件数が増えないようにした。「夜の街」「若者」「県境をまたぐ人」「お酒を出す店」「路上飲み」などと、悪者を見つけながら、「多くの人は一生懸命やっているのに、一部の人たちが約束を守らないから、大変な状況が続いています」と言い続けた（言い続けている）。「やるべきことはやっている。それを受け入れてくれない人がいて困っている」、この言い分は永続的に使える。誰も使わないマスクとたった一〇万円しか配らない人たちから、なぜか一年以上も説教を食らい続けている。

こういった有事には、国家を運営する人たちと、そこで暮らす人たちの信頼関係が大切になる。本当にこの人たちが言っていることが正しいのかどうかを私たちが見極める。ある一部分を疑ったとしても、信頼がベースにあれば、その方針にしたがっていく。未知の感染症を最小限に抑え込む共通目標のためには、対話の機会を増やすしかない。だがどうだろう。安倍晋三、菅義偉（よしひで）に共通するのは、メディアから問われる機会をできるだけ減らしたがる姿勢である。記者会見を開けば、司会を務める内閣広報官に「質問は1問でお願いします」「申し訳ありませんが、質問は残り2問とさせていただきます」などと言わせた。金曜日の夜にラジオ番組のパーソナリティを担当しているのだが、菅の会見はとにかく金曜夜が多く、ニュースの時間に「先ほど行われた会見ですが」と言及することが多かった。その週末で解除されたり、週明けから適用されたりする宣言を、金曜の夜に通告する。首相就任時には「たたき上げの苦労人」などと持てはやされることもあったが、労働者の気持ちを少しでも理解しているならば、このタイミングで正式決定することはしない。発注、受諾、検証、調整、なんでもいいけれど、仕事をしている人間が、それを金曜の夜から動かすのがとても大変であることを、この国を動かす人たちは知らない。つまり、信頼されようと思っていないのだ。

忘れてもらって次の悪事

コロナ禍の街を歩いていれば色々と気づく。あっ、ここにあった喫茶店、なくなってしまったな。スーパーマーケットはずっと混んでいるな。老夫婦が歩いているけど、男性の具合が悪そうだ、病院にでも行くんだろうか。コロナになってから通わなくなった整骨院だけど、ここも大変な思いをしているかもしれない。近くにある大学に通う学生たちをめっきり見なくなった、みんなリモートで授業を受けているんだろうか。この大学に通う人をターゲットにしたアップルパイ屋さんに閑古鳥が泣いている。

こうやって、一〇分くらい街を歩けば、今、起きていることが見えてくる。あちこち大変なことになっているとわかる。不安はパッと消えるようなものではないし、逆に、生活って、音を立てて一瞬で崩れるものでもなく、それぞれが精一杯踏ん張りながら、これまでの暮らしを更新しようとするものだと知る。この一年半、政府はその目線を持つことを、ずっと怠ってきた。怠った結果、信頼関係を築けなくなった。私たちのせいにし続けた。

ワクチンの確保、そして接種にしても、そのそれぞれが遅れている。こんな感じの流れだった。勢い任せに振り返ると……すぐに準備します、それはそれはものすごいスピードでいきますから期待していてくださいね、諸外国と比べて遅れるのは仕方ないですよ、とにかくまずは医療従事者から、そして高齢者ですね、この方達を優先するのはご理解いただけますよね、えっと、確かに接種開始は遅くなっちゃいましたが、とにかく早くやりますよ、いやー、始まったらこれはもう一気にいきますからね、ねぇねぇ聞いてくださいよ、アメリカを訪問して、アメリカの製薬会社の偉い人に電話をして確保したんです、七月末までに高齢者の二回接種を終わらせます、大規模接種センターというのも作ってみました、職域接種も始めます、あっ、なんか、職域接種なんですけど、たくさん申し込みがあって、正直、ワクチンが足りません、一旦中止しますね、安心してください、焦らないでください、じっくりいきましょうよ、オリンピックはやります、元からその予定でしたし、ほら、みなさん、こういう時だからこそ、夢や希望を見せてくれるオリンピックを待ち望みましょうよ。

これが、この原稿を書いている現在の日本の様子である。うまくいっていないですが、これからはうまくいくと思います、そういう意気込みが毎日のように伝わってくる。多くのメディアが、これに対して、オマエら、毎日同じような言い訳重ねてんじゃねぇよ、とは言わずに、今日はこういうことを言いました、と素直に伝えてしまうものだから、意気込みや希望的観測が、意味あるものとして流れ続ける。少し前のミスや問題点を振り返ることをせずに、最新の判断を、最善の判断であるかのように伝えてしまう。すぐに忘れる。忘れてくれるから、また新たに悪事ができる。問題視されても、短い期間でなかったことになるのだから、またできる。

安倍晋三「初心に立ち返り努力したい」

今、アベノマスクが語られるとき、基本的には、笑い草である。あったよね、誰もしなかったよね、と大笑いする。緊張状態の続く毎日でアベノマスクが残した効果といえばそれくらいかもしれないが、実のところ、いくらかかったという検証さえ済んでいない。

六月中旬、野党が参議院決算委員会で提案した会計検査院への検査要請が、与党が反対する形で見送られている。その項目は四つ。

一：全戸に二枚ずつ布マスクを配布した事業の詳細な経費
二：当初は七三億円の事業費だったオリパラアプリなど新システムの契約手続きや管理
三：給付金事業の事務費
四：予備費の使用

これらについて検査を求めたのだが、与党が同意せずに「措置要求決議」にとどまってしまった。「東京新聞」（二〇二一年六月一七日付）の報道によれば、この四項目への反対について、与党関係者が「会計検査院が他に多くの検査を抱えているため」と述べたそうだが、会計検査院の担当者は「検査報告に期限はなく、検査が詰まっているということは特にない」との返答。

これらの使われ方について調査してください、と野党が提案したところ、与党が、色々忙しいんだからそんなことをさせるなよ、と言っているのだが、当の会計検査院は、期限もないですし、詰まっていないですよと返してきた。無駄使いしたことを知られたくないだけなのだろうか。成績表を隠す子どもならまだ可愛げがあるが、失敗を隠そうとする国家の姿は恥ずかしい。

恥じらい、というのは個々人が漏れなく抱えているものであると思ってきたのだが、たとえば、首相を辞めた安倍晋三などは、この恥じらいというものが圧倒的に欠けている。「桜を見る会」の前夜祭の費用補塡問題をめぐって、昨年末のクリスマスの時期に、国会に呼び出され（という表現が正しいだろう）、これまで一〇〇回以上重ねてきたウソを開き直りながら、秘書に押し付ける形でこのように述べた。

「私の知らないところで行われていたこととはいえ、道義的責任はある。結果として答弁が間違っていた責任はひとえに私自身にある。今回の反省の上において、国民の信頼回復のためにあらゆる努力を重ねたい。一層、身を引き締めながら研鑽を重ねる。初心に立ち返り努力したい」

そう述べる安倍は「アベノマスク」をしておらず、「ベツノマスク」を装着していた。「私の知らないところ」で、秘書がこれだけ「私」の評判を下げることをやっていたのだとしたら、まずはその秘書に激怒するなり、告訴するなり、極めて力強い態度に出るべきだが、なぜか、それはしない。自分は関係ないけど、自分も反省はしている。そして、「初心に立ち返り努力したい」。その後、この件についての努力は一切せずに、党内で存在感を復活させることだけに勤しんだ安倍は、「再々登板」の声が出てくるほどに「研鑽」を重ねた模様。Twitterでは、自分のコアな支持層が喝采するであろう朝日新聞批判に励むなど、そうか、そもそも彼の「初心」って、そこにあったのかと呆れながらも納得したのであった。

アベノマスクは「国家の意思」

新型コロナウイルスの抑え込みに失敗した安倍が、その後のインタビューでどのように語っているか。「月刊Ｈａｎａｄａ」二〇二一年七月号から拾う。ちょっと驚くほど、責任感が薄い。オレのせいではない、とだけ言いたいことがわかる。

「緊急事態条項が憲法に規定されていないことをもってしても、危機への意識がとても薄かった」

「新型コロナウイルス対策の特別措置法などの改正案は、そもそもは民主党政権時に作られた新型インフルエンザ等特別措置法です。民主党政権批判をするつもりはありませんが、これの〝建付け〟があまりよくできているものではありませんでした」

「野党は政府に対して対案を示しながら議論を深めていくべきですが、対案を示すとはそこに責任が生じるということ。政策への深い理解がなければならないし、そのためには研鑽と勉強が必要になります。しかし、単なる罵詈雑言はその場で思いついた言葉を相手に浴びせればいいだけなので楽なんですね」

「単に批判をしている人たちはとても気持ちいいでしょうね。無責任に相手を罵倒するだけですから。しかし、受け止める私たちは当然、不愉快です。結果、時間を浪費し、政府側の生産性を落とすだけ。そんなことを繰り返していれば、政治に対して国民が軽蔑の念を深めていってしまいます」

自分を支持してくれる人たちに向けて、これだけ適当なことを述べ連ねている。人のせいにして、批判は罵倒だとする。「単に批判をしている人たちはとても気持ちいいでしょうね」という批判こそ、とても気持ちよさそうに見える。自分の無責任体質がバレないようにするために、強い言葉を並べてみる。強気の言葉を吐き出す前に、前夜祭の見積書を出してほしい、アベノマスクにはいくらかかったのか正確に出してほしい、と思うのだが、こういうのを「単に批判をしている人」とくくることによって、自分に向かう追及を弱めようとするのである。「研鑽と勉強が必要」なのはどちらだろうか。

安倍も使わなくなったアベノマスクは、菅はもちろん、他の閣僚も使っていない。そんな中、アベノマスクを積極的に使っている国会議員がいる。猪口邦子議員だ。今年五月二四日、Facebookにこのような投稿をしている。去年の五月ではなく今年の五月だ、念のため。

「【写真週刊誌にアベノマスク着用の私が!】先日突然『フラッシュ』から参議院会館に電話がかかってきて、私がアベノマスクを愛用している理由を聞かれました。そもそも昨年5月から6月に日本の全世帯にガーゼのマスクが配達され、新型コロナ感染症を防ぐにはマスクが一番という強いメッセージを全国民に届けたことはもっと評価されるべきと思います。世界ではマスク着用が遅れました。ガーゼマスクは何層にもなっている優れものです。私は、毎日選択（ママ）

してアイロンかけて使ってきました。在庫切れなしの人に優しい再生循環資源です！猪口邦子」

多くの人が忘れている大失敗事業を思い出させることで反旗を翻すきっかけにしようとしているのではないかと思ったのだが、読んでみるとそうではない。素直に心酔している。これだけの短い投稿の中にいくつもの事実誤認がある。まずは、「日本の全世帯にガーゼのマスクが配達され」た。何度も繰り返すように「概ね配布完了」なので、全世帯に配達されてはいない。アベノマスクは「新型コロナ感染症を防ぐにはマスクが一番という強いメッセージ」になったというのも誤り。なぜなら、このアベノマスクは、マスクの売り切れが続出している中で出されたアイディアであり、マスクの売り切れが続出し、国民の不安をパッと消すために配られたのだから、「強いメッセージ」として受け取った人はいない。その前から必要としていた。「ガーゼマスクは何層にもなっている優れもの」かもしれないが、残念ながら、それが新型コロナウイルス対応には向かないことは、様々なデータが明らかにしている。政治家としての発信なのだから、さすがにもう少し正しい裏付けが欲しい。「在庫切れなしの人に優しい再生循環資源です！」という締めくくりの文章をどう受け止めるかは難しい。在庫切れなし、というのは、アベノマスクが大量に余っていることを暗に批判しているようにも思えるのだが、直前で、「毎日選択（正しくは洗濯）」している、と述べているから、使い捨てではなく洗って使えるということなのだろうか。

取材を受けたという『ＦＬＡＳＨ』（ウェブサイト、二〇二一年五月八日）の記事には、アベノマスクを「使わない」という知人からもらっていると明かしている。猪口のアベノマスクの在庫が切れないのは、アベノマスクを無駄だと考える人からの提供があるからこそで、それは「人に優しい再生循環資源」とは決して言えないはずである。記事に、猪口のコメントが載っている。

「このガーゼマスク、昔の給食おばさんのマスクと言う人もいますけど、多くの日本国民の命を、昭和の時代から守ってきたマスクなんですよ。皆さん、アベノマスクについていろいろ言いますけど、1年前の早い時期にですね、布マスク2枚がすべての郵便ポストに国家の意思で入ったわけですよ」

郵便ポストに入っていたのは国家の意思だったのだ。国民の意思を伝えるのが選挙、国家の意思としてポストに入っているのがマスク。国家の意思のために、数百億円をかけて、それを国民がほとんど使わなかったのだ。それを政治家として無批判に評価する様というのは、国民の意思というものを軽視していると受け取られると思うのだがどうだろう。

不安は消えなかった。歴史を修正させない

ワクチン接種について、菅首相が、「七月末に高齢者への接種を完了させる」という言い様を繰り返してきた。それが達成されたのかどうかは現時点ではわからないが、そもそも、この言い方自体、繰り返し変化し続けてきた結果であることを忘れてはいけない。昨年六月、もちろんその時点での見通しとはいえ、安倍首相は、「すごく早ければ、年末くらいに接種できる

ようになるかもしれない」と言い、八月には、二〇二一年前半に、国民全員のワクチンを確保すると言っていた。いずれにせよ、めちゃくちゃ遅れまくったわけだが、そういったことへの根本的な反省はなく、これから急ぐと言い続けている。もうすぐ家を出るから、と言い続けているのは基本的に遅刻魔である。

この一年半、政府が決めた判断に翻弄され続けた。それは全世界共通で、判断がすべて正しく、すっかり平穏な日々が過ごせたという国はひとつもないだろう。この日本の社会は判断を精査されるのを嫌がる社会だ。なかったことにして、うやむやにする社会だ。そしてその後、何事もなかったかのように、自分たちのせいではないと言い始めるのだ。東京オリンピックが強行されようとしている。この本が刊行された頃には、強行された後かもしれない。ずっと反対してきたし、前日になろうが反対するし、終わっても反対する。

アベノマスクを思い出そう。私たちの国は、コロナ感染者が増えた時、真っ先にあれを配って安心させようとした国なのだ。こんな不安だらけの国で、気持ちをリセットさせようと、オリンピックを強行する国なのである。誰かの金メダルの物語を、あたかも国民みんなのものとして共有する感動物語が流れていなかっただろうか。それは、私たちのものではなく、政府のものでもなく、選手のものである。私たちのものとして配られたのは、あなたの家のどこかに眠っている、あるいはもう捨てられてしまった、布マスクだったのだ。その事実は、何度だって気分を落ち込ませてくれる。

でも、私たちはキチンと落ち込まなければならない。あたかも戦いに勝ったかのような気持ちでいると、失政を繰り返した人たちは言い逃れが可能になる。誰も使わなかったマスクを配った国で、まだまだコロナとの付き合いが続く。しんどいけれど、忘却を促す動きに乗っかってはいけない。アベノマスクで不安は消えなかった。歴史を修正させない。コロナ禍を生き抜くために、そして、後に検証するために必要な態度だ。

（二〇二一年七月四日）

［哲学］

コロナ禍と哲学　3

仲正昌樹

仲正昌樹（ナカマサ・マサキ）

一九六三年、広島県呉市生まれ。東京大学大学院総合文化研究科地域文化研究専攻修了（学術博士）。現在、金沢大学法学類教授。専攻は、政治思想史、ドイツ文学。主な著作に『危機の詩学』『増補新版　モデルネの葛藤』『カール・シュミット入門講義』『ハンナ・アーレント「人間の条件」入門講義』（以上、作品社）、『今こそアーレントを読み直す』『マックス・ウェーバーを読む』『ハイデガー哲学入門』（以上、講談社）、『集中講義！日本の現代思想』『集中講義！アメリカ現代思想』『悪と全体主義』『現代哲学の最前線』（以上、NHK出版）など。

一　ワクチン接種の生政治

今年の二月から新型コロナウイルス（以下、新型コロナ）のワクチン接種が始まった。日本ではこれまで、天然痘ワクチンや三種混合ワクチンの副反応をめぐる訴訟、集団予防接種の際の注射器の使い回しによって多くの人がB型肝炎に感染したB型肝炎問題、子宮頸がん用のHPVワクチンの副作用の評価をめぐる論争など、ワクチンをめぐる様々な問題が起こっており、反ワクチン的な言論の流れがあった。そうした世論の影響もあって、日本国内で大規模治験が行われにくかったため、日本の製薬会社はワクチン研究にさほど積極的ではなく、コロナワクチンの開発でも出遅れた。ワクチン開発、製薬会社との交渉による製品確保、接種体制のいずれの面でもあまり備えができていなかった日本で、感染者数・死者数が少なかったため、ワクチン接種のスケジュールはかなり遅れた。

しかし、マスコミや野党が「ワクチン接種」自体の是非を論じないまま、政府の〝戦略ミス〟によるワクチン接種の〝遅れ〟を批判し、政府の側も、予定通り接種が進むよう全力を尽くす、というお決まりの応答を繰り返したため、国民の一人ひとりが「ワクチンを速やかに接種すること」は正義であり、それについては党派を超えた合意があるかのような様相を呈することになった。更に、ワクチン接種の進展以外に緊急事態終息の基準が見当たらないこと、高齢者向けの接種の終了見込みの時期がオリンピック開始のそれが重なったことなど、他の要因も相まって、ワクチンを危険視する声はかなり弱まった感がある。ワクチン接種が予想より早く進むことは、もっぱら〝いいニュース〟として報道されている。ワクチンに懐疑的な専門家はほとんど登場しない。これまでの反ワクチン的な世論の反動で、かえって「ワクチン接種」が促進される、という皮肉な事態が生じている。

海外とビジネス往来の再開を促進するためワクチン接種証明書の発行も、政府で検討されている、という。これが一般化して、国内の経済・文化活動にも広がっていくと、ワクチンに抵抗のある人も接種を余儀なくされる。一度ワクチン接種が当たり前（ノーマル）になると、ワクチンの有効期間や変異株への対応などの関係で、何年おきかで再度接種しなければならないことになるかもしれない。それだけではない。新型コロナワクチンでそういうサイクルができると、他の新旧の感染症でも、ワクチン研究が進んで成果が出たものについては、同じようなサイクルが次々と形成されていくかもしれない。PCやネットが普及し始めると、あまりメカが好きでない人でも、PC本体だけでなく様々な周辺機器をしょっちゅう買い替えなければならなくなったのと同じメカニズムだ。

このように事態が進行していくとしたら、フーコーの言う「生政治 biopolitique」が完成するということだ。[1] コレージュ・ド・フランスでの講義『安全・領土・人口』（一九七七－七八）でフーコーは、感染者を共同体から隔離するハンセン病モデル→感染者を都市の特定の領域に閉じ込め、その行動や健康状態を記録・管理するペスト・モデル→国民全体の健康の状況を統計的に把握し、年齢・職業・地域に応じた医療措置を取る天然痘モデル、という生権力の三段階の発展図式を示している。ペストへの対処では、個々の感染者の行動を監視し、与えられた指示に従わせる、という規律の側面があるが、種痘（ワクチン接種）による予防に重点がある天然痘への対処では、ある地域、ある年齢層のグループの天然痘の罹患率・死亡率が、正常と見なし得るそれの分布から逸脱して高くなっていると見られる場合、それを正常に近付ける措置が取られる、という具合に、個々人の行動ではなく、統計学的な分布が問題にされる。フーコーは、こうした予防医学の実践を、都市計画や食糧行政と連動しながら、「人口」を安全な状態に保つメカニズムと見ている。[2]

今回のワクチン接種では、規制改革担当大臣がワクチン担当を兼務し、地方自治体ごとに、医療従事者から始まって、年齢層別、居住地域別、職域別に計画的に接種を進め、感染者数を医療提供体制に見合う一定の範囲内に抑え込むこと――フーコーの用語で言えば、正常化（normalisation）――が目指されている。現実の実施体制には様々の手続き上の不備や非効率があることが報道されているが、そうしたシステム上の欠陥が浮き彫りになることをきっかけに、完璧な安全メカニズムの構築が目指されることになるかもしれない。

私は、事前に軽く感染することで免疫を付けることを狙った「ワクチン」という治療法はそれ自体危険であり、やめるべきだと煽っているわけではない。また、フーコーの生権力論を援用することで、伊藤計劃の小説『ハーモニー』（二〇〇八）や映画『AI崩壊』（二〇二〇）のようなディストピアが現実化しつつある、と言いたいわけでもない。人口を管理する「生権力」が機能するようになるからといって、個人の体内を機械的に管理するシステムの使用が正常と見なされて正当化されることにはならないし、それほどの技術はまだ存在しない。しかし、感染症の恐怖がまん延するなかで、「ワクチン」に対する多くの国民の懸念がなかったかのように扱われ、薬害問題で反権力・反資本的な態度を取ってきたリベラルやマスコミも、ワクチン接種の公平性にしか関心を持たなくなっている現状は、健康ディストピアに対する、社会心理的障壁の一つが取り除かれたことを意味するのではないかとは思っている。

ワクチン接種しないと、命が危ない、他人にうつすかもしれない、社会生活に参加するうえで支障をきたすといったことが自明の理とされ、ワクチン接種の是非について国民的議論を行うことなく、各人が自分の健康状態や社会的立場とワクチンのリスクの間で時間をかけて衡量できないまま、急かされるようにワクチン接種を受け入れるように、あるいは〝自発的に〟それを望むように仕向けられていることが問題なのである。言い換えれば、個人のレベルでも社会としてもインフォームド・コンセント（ＩＣ）が十分になされないまま、緊急措置として接種が進められているのである。

無論、一口にＩＣといっても、疾病の種類や本人の状態によって、詳細なＩＣが必要な時と、患者と医師の信頼関係を前提として極めて形式的にすませていい場合がある。ステージがかなり進んだ癌の治療や、乳房や四肢など外見的にはっきり見える形で体の一部を切除する場合は前者だが、旧型のコロナウイルスによる風邪の治療薬の処方は、アレルギーのある人など例外的ケースを除いてごく簡単にすませていいだろう。治療法が確立されておらず、罹患した人の何割かが確実に死に至るような病であれば、自発的に被験者になる人は少なくないだろう。

新型コロナの致死率はさほど高くない。しかし多くの人は、無症状の人からいつの間にか感染し、それまで元気にしていた人でも急に肺炎を発症し、治療を受ける間もなく死に至る恐ろしい感染症として怖れている。そういう危険な感染症の拡大を食い止めるための緊急措置として、通常では考えられない速度で、海外で開発・承認されたワクチンを使っているわけである。七〇年代後半のアメリカでは、拙速に開発された豚インフルエンザ・ワクチンの大量接種を実行したところ、予想されたインフルエンザの大流行は起こらなかったにもかかわらず、副反応で無視できない被害が出た。[3]

政府や自治体は、そうしたワクチンをめぐる内外の歴史的な経緯を踏まえ、ワクチンの成果だけでなく、危険に関しても十分情報提供し、世の中の雰囲気に押されて納得しないまま予約してしまう人が出ないよう配慮すべきだし、マスコミは、ワクチンをめぐって充分なＩＣが行われていると言えるのか問題提起してしかるべきだろう。しかし今のところ、大規模接種とＩＣの関係をめぐる国民的議論が行われそうにはない。

このことについてきちんと考えるため、ＩＣとはそもそもどういうものか、どうして現代の医学において重視されるようになったのか、歴史的起源に立ち返って、その意義を考えてみよう。

二　ＩＣと人体実験

医療行為に際して、その危険やその後の人生に及ぶす影響について、患者に十分な情報を提供し、本人が納得できるやり方を選択しなければならないという考え方が一般化するようになったのは、一九五〇年代後半から六〇年代初頭のアメリカにおいてである。[4] 近代の臨床医学はフランス革命頃から急速に発展し始めたが、当初重大な疾患に対する療法のほとんどが手探り状態にあり、患者に情報提供しようにも、医学的に確定した知見がないというのが実情だった。医師を信じるしかなかった。医学的に標準的な療法が確立し、患者にもある程度知られるようになると、リスクの高い手術などを行う際には、患者にもそのことを細かく説明して同意を得ることが医師の義務だと考えられるようになった。そうした考えを反映した医療裁判の判決の中で、ICという言葉が使われるようになった。

ICという概念が次第に普及していく伏線として、人体実験に際しての被験者の同意という問題があった。臨床医学が誕生した当初から、新しい療法を試みるに際して、被験者が十分納得したうえで同意していることを前提とすべきかという議論はあったが[5]、きちんと説明すれば、被験者を確保することが困難になるため、四人を使ったり、どういう実験かはっきり説明しないまま形だけ同意させるといったことが行なわれてきた。

転換点になったのは、ナチスの医師たちが捕虜等に対して行った低温実験、マラリア感染実験、マスタードガス実験などの、治療を目的としない非人道的な人体実験を裁いたニュルンベルク医師裁判である[6]。判決は、人体を使った実験に際して医師が守るべき十カ条の条件を提示した。これが「ニュルンベルク綱領」と呼ばれるものである。その第一条では、患者の「自発的同意 voluntary consent」が絶対的に不可欠とされている。これを受けて、医学的実験の倫理性をめぐる議論が喚起され、世界医師会は一九六四年に人体実験の条件をより厳密に規定した「ヘルシンキ宣言」を採択した。宣言は治療を目的としない人体実験はそもそも許されないとしたうえで、臨床試験の条件として、被験者が「情報を与えられた（informed）うえで、自由な合意（free consent）」を与えていることを明記している。その後、六〇年代後半からアメリカの大学病院などで本人の同意を得ない臨床試験が行われていたことが明らかになり、人体実験に際してのＩＣがクローズアップされることになった。

「人体実験（先進的医療）に際してのＩＣ」と、「一般的治療におけるＩＣ」とは意味することが異なり、前者の方がよりハードルが高くなる傾向がある。しかし、後者で伝えられるべき「情報」として重視されるのは、医学の進歩と関係したものである。先に述べたように、医学が進歩して標準的治療法が確立し、その成功の確率はどれくらいか、それを実行する医師にはどういう資質が必要か大よそのことが分かってくると、患者もそれを知りたくなるし、確定した情報として伝えることが可能になる。その時代や地域における、医療水準を超えたことをやるのであれば、どうしてその必要があるのか、患者自身に納得してもらうことが不可欠である、というのがＩＣの根底にある考え方だ。

だとすると、二つのＩＣは不可分の関係にある。治療の最先端、その患者個人のための治療なのか将来の患者のための臨床試験（研究）なのか境界線上にある、先端的な療法が、人体実験であると見ることができる。「人体実験におけるＩＣ」では、通常の治療以上に、研究という側面が強くなることを、被験者＝患者に納得してもらう必要がある。[7]

では、新型コロナワクチンについてはどうか。海外で大規模な臨床試験が行われ、日本国内でも厚生労働省（以下、厚労省）での承認に先立って小規模の臨床試験が行われている。[8] しかし、一般的に「ワクチン」が、各人にとって実際に予防効果がある——あった——のかは、どれだけ研究が進んでも完全に解明されることはない。ウイルスに感染するかどうかは、その人の体質やその時の体調、侵入してくるウイルスの量、変異の度合いなどによって変化するし、発症しなかったり、軽い症状ですんだとしても、それがワクチンのおかげかどうか分からないからである。(日本での)新型コロナのように、元々感染・発症率がそれほど高くないウイルスについては、猶更そうだろう。また、稀に生じる副反応については、臨床試験だけでは、どういう人にリスクがあるのか、かなり長期にわたって系統的に観察を続けない限り、判明しない。ある意味、長期に及ぶ臨床研究が続いており、接種を受ける人は、広い意味での被験者だと見ることができる。そのことについて、ＩＣは成立していると言えるのか。

もう一つ忘れてならないのは、「人体実験におけるＩＣ」は、医学が発達し、健康保険が充実するほど、成立しにくくなるということだ。深刻な病に対して有効な治療法がまだ発見されていないのであれば、罹患した人の大多数が進んで被験者になろうとするだろう。また、健康保険で医療費が十分にカバーされていなかったら、治療費＋報酬と引き換えに被験者になろうとする患者は少なくなかろう。しかし、医学が発達し、既に五年生存確率が例えば七〇％に達している治療法がある疾病で、それを数％上昇させられる可能性がある新しい療法が見つかりそうだと言われて、被験者になりたいという人はどれくらいいるだろうか。健康保険で治療費がほぼ全てカバーされるのであれば、金銭面での動機もあまり働かない。

そうなると、日本のような国で被験者を集めるのは難しい。特に新型コロナのように致死率・重症化率がさほど高くない病気のためのワクチンのための臨床試験は、ますますやりにくい。それが国産ワクチンの製造が遅れている原因の一つにもなっている。医学的臨床研究の一般的傾向として、アメリカのように国民皆保険でない国の方が、臨床試験の被験者は集めやすい。更に言えば、先進国での臨床試験の被験者が集まりにくくなると、グローバルに展開している製薬企業は、本社のある先進国ではなくて、貧困層が多いアジア、アフリカ、中南米の開発途上国で大規模な治験を行っている。[9] 今回のコロナワクチンの臨床試験も、ファイザー社製のものは、米国とドイツの他、アルゼンチン、トルコ、ブラジル、南アフリカで実施されている。

大規模治験の〝輸出〟は、臓器売買と同根の問題であり、グローバルな平等を追求する、普遍主義的なリベラルであれば、問題視しなければならないはずだ。しかし、国内でのワクチン接種の遅れに関心を集中させている、日本の〝リベラル〟たちは、ワクチンの国際的配分における公平性にさえあまり関心を持っておらず、治験における危険引き受けの公平性などほとんど意識していないように見える。

日本人があまり治験に参加していないにもかかわらず、日本政府が高い金を払って優先的にワクチンを入手すれば、その分だけ、（多くの人が治験に参加した国を含めて）途上国へのワクチン供給が遅れる可能性があるが、それは仕方のないことなのか？　人間はいざとなったら、自分に近い存在を優先して助けようとする感情に従う存在であり、その感情に従うことこそが道徳的に正しいのか？　リベラルな平等主義者も緊急事態には自国民優先の選択をすることは哲学的に正当化されるのか？　こうした、サンデルの白熱教室で提起されたような問いかけは、今の日本の言論界では場違いで相手にされそうにない。

三　感染症の倫理：権利か義務か？

ＩＣとワクチン接種の関係についてもう少し掘り下げて考えてみよう。ＩＣが成立するには、病気の性質とその時点での医療水準から見て考えられる治療法の選択肢とリスクに関する情報が、患者に理解しやすい言葉で開示されるだけでは十分ではない。ナチスによる人体実験の例に典型的に見られるように、拒否したらどうなるか分からない状況で、〝同意〟しても、それは有効な同意とは見なされない。セクハラなどハラスメントの事例で、権力関係による報復をちらつかせて〝同意〟させることが、本来の同意と見なされないのと同じ理屈である。だから、「自発的同意」という、トートロジーとも思える概念が必要になるのである。

戦争の捕虜や政治犯、ジェノサイドの対象になっている人の場合のように、あからさまな脅迫を受けていなくても、病院、特に大学病院のような最先端医療を行う病院に入院して、治療・看護を受けている患者は、臨床試験を受けてほしいという要望を断りにくい状況にある。加えて、病気自体、あるいは、抗がん剤治療などによる苦痛や不安に常に苛まれている患者は、通常より弱気になったり、判断力が低下している可能性もある。無自覚の内に、病院側の意向を忖度してしまうかもしれない――逆に、必要以上に疑心暗鬼になってしまう恐れもある。だから現行のヘルシンキ宣言（二〇一三年）の二七条でも、「研究参加へのインフォームド・コンセントを求める場合、医師は、被験者候補が医師に依存した関係にあるかまたは同意を強要されているおそれがあるかについて特別な注意を払わなければならない。そのような状況下では、インフォームド・コンセントはこうした関係とは完全に独立したふさわしい有資格者によって求められなければならない」[10]と謳われている。

新型コロナワクチンの場合、ほとんどの接種対象者は入院患者ではないし、一部の人を除いて、深刻な持病の苦痛で苦しんでいるわけではない。しかし、メディアやネットで新型コロナの脅威が絶えず強調され、社会を構成する私たち全員が、ステイホームとソーシャルディスタンスを強制され、多くの人は不安を抱えている。いわば、病院の代わりに社会全体が、被験者として協力せざるを得ない気持ちになるよう圧力をかけている。ワクチン接種は、国民の健康に生きる権利の一部というより、社会の一員として受け入れざるを得ない〝義務〟の様相を呈している。

しかも、ＩＣによって接種する／しないを決めたいと思っても、ワクチン接種の担当者のほとんどは、ワクチンの専門家ではない。医者でさえない場合もある。政府や地方自治体のコロナ対策にアドバイスしている感染症や疫学、公衆衛生の専門家も、必ずしもワクチンの専門家ではない。本当の意味での専門家は、ワクチンを開発した（海外の）研究者たちだけだろうが、接種を受ける一般人と彼らの間でＩＣを成立させるというのは現実的ではない。行政や接種を担当している医療従事者としては、厚労省が承認した時点で、ワクチンをめぐる不確実性はほぼ解消された、という建前を取らざるを得ないだろう。当然、不安を持つ人が、異例の速度で開発されたワクチンを接種することの意義について納得できる詳しい説明を求めても、不安な人に強制するものではありません、としか答えようがないだろう。

だからこそ、社会全体で問題意識を共有する必要があるのだが、現在は政府もマスコミも、接種の迅速化にだけ関心があるので、面倒な説明を求める人に対応する必要など考えていないだろう。面倒な説明を求める人＝接種を妨害したい人、ではない。ワクチン接種の意義を十分に理解したうえで、必要ならできるだけ早く受けたいという人はいるはずだが、接種の速度や公平性を気にしている人にとっては、それは後回しにしてもいい人、ということになるだろう。

先ほど私は〝義務〟という言葉を使ったが、それはどういう意味での〝義務〟だろうか？日本で一九四八年に制定された予防接種法では、痘そうやジフテリアなど一二の感染症について予防接種を、罰則付きで義務付けていたが、七六年の法改正で罰則抜きの義務へと移行した。[11]これは、感染症の発生件数が減少したことに加え、各人の意志が尊重されるべきという考え方が次第に浸透した帰結だともいえる。

自由主義社会において、予防接種を健康に対する権利ではなく、義務にするのは、他人にうつす危険があり、それは犯罪に近い行為だと見なされているからだ。他人を害する可能性が低い行為は自己決定の領域に入るが、害する可能性が高い行為は、公権力による強制の対象になり得る。ジョン・スチュアート・ミルに由来するこの考え方を、「他者危害原則 harm principle」という。では、他人に病気をうつすことは、「他人を害する」行為なのか？

自分が感染していることを知って、意図的に他人を巻き込もうとするのであれば、「他人を害する行為」と見ていいだろう。しかし、ほとんどの人は自分でも気付かない内に感染させてしまう。自分の身体で生じる生理現象の連鎖のせいで、気付かない内に他人に〝危害〟を加えてしまうことまで、「他人を害する行為」と見なすとすれば、自由に行動できる余地はほとんどなくなる。他者危害原理に基づいて予防接種を義務付けるとすれば、それは以下のような想定に基づいていると考えられる。「危険な感染症がまん延しているのだから、全ての人は他人にうつさないよう、全ての市民は最大限の努力をすべきだ、その最大限の努力には、たとえ副反応の危険があってもワクチンの接種を受けることが含まれる、それを受けないのは、意図的に他者を害するのと同じだ」。これは、他者のために自己犠牲を強いる、かなり高圧的な考え方に聞こえる。だからこそ、予防接種は義務ではなくなったのだろう。

予防接種法と相互補完関係にある感染症法(一九八八年制定)は、「過去にハンセン病、後天性免疫不全症候群等の感染症の患者等に対するいわれのない差別や偏見が存在したという事実」に対する反省も踏まえ、「感染症の患者等の人権を尊重」すべきことを強調している。感染症法にも罰則はあったが、それは主として、故意に病原体をばらまくバイオテロのような行為や医師が患者の秘密を漏らすことに対するものであった。しかし、今年二月の法改正で、正当な理由なく入院拒否した患者等に五〇万円以下の過料を科すことができるようになった。これは、入院を、権利というよりは義務と見なしているということであり、感染すること自体を「他者危害」と捉える方向に、終戦直後の予防接種法やらい予防法の発想に部分的に回帰していることを意味する。

新型コロナの場合、無症状の人でも他人にうつしてしまう可能性が高いとされていることが、陽性判明者の行動を制約することを正当化し、ワクチン接種を市民の義務であるかのように見なす風潮を後押ししていると思われる。しかし、他の感染症と比べて不顕性感染が高まる可能性とそれによる被害の拡大がどの程度か明確な比較がなされているわけではないし、それを、自由権的な基本権の中でも最も基本的な「人身の自由」を制約する根拠にしていいのか、という肝心な議論は行われていない。

ワクチン接種は法的義務ではない。しかし、コロナをうつすことはたとえ意図的でないにせよ他者に危害を加える〝行為〟である→他人に危害を加えてはいけない→他人に危害を加える可能性のある自由は制限されるべきである→他人に危害を加える可能性を引き下げるための手段があれば、（たとえ自分自身の身にリスクを引き受けることになっても）それを選択するのが市民の義務である……といった連想によって、ワクチン接種に圧力がかかっているとすれば、そうした人々のメンタルに浸透し、「正常性」を押し付ける生権力は、各人の行動を直接的に規律する規律権力よりも厄介だ。多くの人が自分は支配されていると感じることなく、一人でも多くの命を救おうとする人間の〝自然な気持ち〟に寄り添っているだけだと思っているのだから。

注

1　これについては、拙稿「コロナ禍と哲学」(『定点観測　新型コロナウイルスと私たちの社会 二〇二〇年前半』論創社、二〇二〇年、一六六－一六九頁)を参照。

2　Michel Foucault, Sécurité, territoire, population, Gallimard & Seuil, 2004, p.11-14, p.59-77(高桑和巳訳『安全・領土・人口』筑摩書房、二〇〇七年、一三－一六、七二－九二頁)を参照。

3　これについては、Richard E. Neustadt, Harvey V. Fineberg, The epidemic that never was : policy-making and the swine flu scare, Vintage Books, 1983(西村秀一訳『ワクチン　いかに決断するか』藤原書店、二〇二一年)を参照。ワクチン開発をめぐって一般的にどのような倫理的問題が生じるかについては、以下が参考になる。Meredith Wadman, The Vaccine Race, Penguin Books, 2018(佐藤由樹子訳『ワクチン・レース』羊土社、二〇二〇年)

4　Ruth R. Faden, Tom L. Beauchamp, A History and Theory of Informed Consent, Oxford University Press, 1986, pp.86ff.(酒井忠昭・秦洋一訳『インフォームド・コンセント』みすず書房、一九九四年、七七頁以下)を参照。

5　近代初期からの人体実験の歴史については、Grégoire Chamayou, Les corps vils, La Découverte, 2008(加納由起子訳『人体実験の哲学』明石書房、二〇一八年)を参照。

6　Faden, Beauchamp, A History and Theory of Informed Consent, pp.151ff.(『インフォームド・コンセント』、一二〇頁以下)を参照。

7 二つのＩＣの関係について詳しくは、拙著『自己再想像の〈法〉』（お茶の水書房、二〇〇五年、一〇三－一七七頁）を参照。

8 ファイザー社製とモデルナ社製のワクチンの臨床試験については、厚労省のＨＰに掲載されている。
https://www.mhlw.go.jp/stf/seisakunitsuite/bunya/vaccine_pfizer.html
https://www.mhlw.go.jp/stf/seisakunitsuite/bunya/vaccine_moderna.html
アストラゼネカ社製のワクチンについては、以下の英国政府のＨＰを参照。
https://www.gov.uk/government/publications/regulatory-approval-of-covid-19-vaccine-astrazeneca/information-for-healthcare-professionals-on-covid-19-vaccine-astrazeneca

9 Seth W. Glickman et al., Ethical and scientific implications of the globalization of clinical research, in: New England Journal of Medicine, 2009, vol.360, No.8, pp.816–823 を参照。この問題の構造的背景については、Sonia Shah, The Body Hunters, The New Press, 2006 を参照。

10 https://www.med.or.jp/dl-med/wma/helsinki2013j.pdf

11 https://www.shugiin.go.jp/internet/itdb_housei.nsf/html/houritsu/00219480630068.htm
https://www.shugiin.go.jp/internet/itdb_housei.nsf/html/houritsu/07719760619069.htm
こうした事情については、米国研究製薬工業協会（PhRMA）のＨＰに掲載されている以下のレポートでコンパクトに解説されている。
「日本のワクチン政策の変遷」

http://www.phrma-jp.org/wordpress/wp-content/uploads/old/library/the_value_of_vaccine/the_value_of_vaccine04.pdf)

［教育］

子どもと学生の生きづらさ

前川喜平

前川喜平（マエカワ・キヘイ）

一九五五年、奈良県生まれ。現代教育行政研究会代表。東京大学法学部卒業後、一九七九年に文部省入省。二〇一六年に文部科学事務次官。二〇一七年一月に退官後、加計学園問題で岡山理科大学獣医学部新設の不当性を公にする。福島市と厚木市で自主夜間中学の講師も務める。著書に『面従腹背』（毎日新聞出版）、共著に『同調圧力』（角川新書）、『生きづらさに立ち向かう』（岩波書店）など多数。

第二・第三の緊急事態宣言と学校

二〇二一年の一月から七月にかけて、新型コロナウイルス（以下、新型コロナ）感染拡大の第三波・第四波・第五波に直面した政府は、緊急事態宣言やまん延防止等重点措置の発令・解除を繰り返したが、この間、文部科学省（以下、文科省）は一貫して一斉休校の必要性を認めなかった。安倍前首相の突然の要請により前年三月から六月にかけて行われた全国一斉休校が引き起こした弊害を熟知していたからである。

しかし大阪では知事や市長が学校での対策を要請した。

四月一四日、大阪府の吉村洋文知事は「部活動でクラスターが発生している」として、学校の部活動の自粛を要請した。しかし感染には川上と川下がある。部活動も含めて学校は感染の川下だ。一カ所の部活動でクラスターが生じたからといって、全ての学校で一斉に部活動を止めろというのは無茶な話だ。それは一カ所の病院や介護施設でクラスターが生じても、ほかの施設を閉鎖したりはしないのと同じ理屈である。対外試合や合宿などの校外活動の自粛なら一定の効果はあるだろうが、校内での部活動の自粛はほとんど意味がない。

大阪市の松井一郎市長は四月一九日、緊急事態宣言発令後は市立小中学校でオンライン授業を行うよう要請した。一〜二時間目は自宅でオンライン授業を受けたりプリント学習をしたりし、その後登校し三〜四時間目に学習状況を確認して給食を食べて下校するというパターンだった。しかしこの松井市長の方針は学校現場に大混乱をもたらした。

大阪市立木川南小学校の久保敬校長は、二〇二一年五月一七日付けで松井市長に宛てて

「大阪市教育行政への提言」という公開書簡を出した。その中で久保校長は、「通信環境の整備等十分に練られることないまま場当たり的な計画で進められており、(中略)大阪市長が全小中学校でオンライン授業を行うとしたことを発端に、そのお粗末な状況が露呈した」と批判し、市長によるオンライン授業の要請により「学校現場は混乱を極め、何より保護者や児童生徒に大きな負担がかかっている。結局、子どもの安全・安心も学ぶ権利もどちらも保障されない状況をつくり出していることに、胸をかきむしられる思いである」と訴えた。

教育現場の事情を無視したオンライン授業の要請は暴挙だった。松井市長は五月一七日になって、同二四日から通常授業を再開すると発表したが、自らの失策は認めなかった。

沖縄県は第四波の影響が特に大きく、五月二六日には一日の新規感染者数が三〇〇人を超えた。玉城(たまき)デニー知事は六月三日、県独自の判断として六月七日から二週間県立高校を原則として休校にするとともに、市町村に対しても、小中学校を休校にし、保育所も臨時休園や登園自粛の措置をとるよう求めると発表した。私はこの措置についても疑問を感じる。知事は大規模商業施設の土日の休業やイベントの延期・中止は求めたものの、その他の遊興施設、飲食店、小売店などが営業する中で学校だけを全面的に閉じることは、いわば大きな穴を開けたまま小さな穴だけを閉じるようなものだ。特に校内・園内の感染リスクが低い小中学校の休校や保育所の休園まで求めるべきだったとは思えない。

各地の首長が感染拡大防止のため学校の活動を止める誘惑にかられるのは、休業補償の問題が生じないからである。しかし、実際には子どもたちに金銭では埋められない損害が生じる。

安易に学校の活動を止めるべきではない。

子どもの自殺と虐待の増加

コロナ禍の中での子どもたちの生きづらさを最も鋭く突きつける数字は、自殺と虐待の件数だ。児童生徒の自殺件数は二〇二〇年に激増した。厚生労働省（以下、厚労省）と警察庁が二〇二一年三月一六日に発表したところによれば、二〇二〇年中の高校生以下の児童生徒の自殺は四九九件で、前年の件数に比べて、一〇〇件二五・一％増加した。

子どもの自殺が増えた原因としては、コロナ禍で社会全体の不安が高まる中、一斉休校中に家庭内のトラブルや虐待が増えたことや学校再開後の学校生活のストレスなどが原因として考えられる。児童生徒の自殺が対前年同月比で増加に転じたのは二〇二〇年六月だったが、この時期はちょうど学校が再開した時期に当たり、休校明けと自殺との関係は十分疑われる。しかし、その後も子どもの自殺は増えている。それは学校生活が苦しいからかもしれない。少なくとも確実に言えることは、自殺を図る子どもたちにとって学校が救いの場になっていないということだ。

二〇二一年七月四日現在、日本の一〇代以下の子どもで新型コロナで死亡した者は一人もいない。子どもの命を守ると言いながら、無責任な一斉休校を押しつけて子どもたちを追いつめた安倍首相や知事たちの責任は重い。

児童虐待も確実に増えた。二〇二一年四月に明らかになった厚労省の統計によれば、二〇二〇年に全国の児童相談所が対応した児童虐待の件数は一九万七八三六件（速報値）で対前年比六％増だった。しかし、新型コロナや一斉休校の影響で学校、幼稚園、保育所、病院などから児童相談所への通告が減ったことから、実態はもっと深刻なのではないかと疑われる。

児童虐待の増加の実態をより正しく反映していると思われるのは、警察庁が二〇二一年三月に発表した数字だ。二〇二〇年に警察が摘発した児童虐待事件は二一三三件で前年比一六一件（八・二％）増、被害に遭った一八歳未満の子どもは二一七二人で前年比一八一人（九・一％）増。いずれも過去最多となった。警察が児童相談所に通告したのは一〇万六九九一人で前年比八七六九九人（八・九％）増だったが、月別に前年同月比を見ると、三月は二一・一％増、四月は一六・八％増、五月は一三・八％増で、一斉休校の期間に特に増えていた。一斉休校が児童虐待の増加の原因の一つだったことがうかがわれる。被害者のうち死亡したのは六一人で前年比七人（一三・〇％）増だった。死亡例のうち無理心中によるものが二一人に上っていた。新型コロナに起因する生活苦によるものが多かったのだろう。政府による生活支援や休業補償の給付が充実していれば救えた命なのではないだろうか。

困窮する学生

仕送りやアルバイトが減り経済的に困窮する学生の中には、食事にも困る者が出てきた。

東北大学では二〇二一年五月の一〇〇日間、学生食堂で通常三八〇円の朝食を一〇〇円で提供した。筑波大学では二〇二一年一月、近隣の企業や農家、卒業生や教職員の協力を得て、食料の無料配布を行った。名古屋大学では二〇二一年一月、同大の農場で採れた冬野菜や市民の寄付などで集まった食品を学生に配った。二〇二〇年の春以来二度目の食料配布だった。東京都立大学では二〇二〇年五月以降継続的に、教職員有志による学生への食料無料配布が行われた。

学生の食の支援に自治体が乗り出すケースもあった。長野県とNPO法人のフードバンク信州、ホットライン信州は、二〇二一年五月に長野市と松本市で、学生のための食料の無料配布を行った。

大学修学支援制度の効果と限界

二〇二一年三月から四月にかけて文科省が行った調査によれば、二〇二〇年度に中退・休学した学生は約一二万五〇〇〇人で、前年度から約二万一〇〇〇人減っていた。中退・休学が減った理由としては、二〇二〇年四月から国が始めた低所得世帯向けの修学支援制度の効果が大きいと思われる。文科省の調査によると、非課税世帯の大学・短大・専門学校への進学率は、制度導入前（二〇一八年度）は約四〇％だったが、二〇二〇年度の進学率は四八〜五一％に上昇したと推計されている。制度利用者へのアンケートでは三四％が「新制度がなければ進学をあきらめていた」と答えた。

しかし同時にこの調査では、コロナ禍の影響によると判明している中退者が二〇二四人、休学者が四六二七人いたことも判明している。特に修学支援制度の対象外となっている大学院生が学業をあきらめるケースが増えていた。二〇二〇年五月六日のネット番組で安倍首相（当時）

免措置などの財政支援を行うよう求めた。

れない」と語った。二〇二〇年五月二二日には全国大学院生協議会が、大学院生にも学費の減

と対談した京都大学・iPS細胞研究所の山中伸弥教授は「大学院生が一番困っているのかもし

学生支援緊急支援金制度

「私たちがみえていますか」。神奈川県の私立大学三年の辻昌歩さん（当時二一）の言葉だ。二〇二〇年四月に立憲民主党が行った学生からのウェブヒアリングで、「家計急変は私には当てはまらない」と発言したのが辻さんだった。彼女は両親からの仕送りを受けず、アルバイトを奨学金で自分の学業と生活を支えていた。新型コロナで親の収入はコロナの影響をほとんど受けなかったが、自分の収入は激減した。「家計じゃなく、個人で考えてほしい」と彼女は訴えた。

学生団体・高等教育無償化プロジェクト「FREE」は二〇二〇年四月二二日と五月一日に記者会見を開き、アルバイト収入減により退学を考えている学生が約二割に上るという数字を示し、国の責任で大学の学費を半額にするよう求めた。

こうした動きに応えて与野党から困窮学生支援策が提案されたのを受けて、文科省は二〇二〇年五月、第二次補正予算の予備費を使って「学びの継続」のための「学生支援緊急給付金」を創設した。家庭から自立した学生でアルバイト収入が五〇%以上減った者を対象に、住民税非課税世帯の学生には二〇万円、それ以外の学生には一〇万円を給付する仕組みだ。対象は大

学生や大学院生、留学生、短期大学生、専門学校生、日本語学校生ら約四三万人で予算総額は五三一億円だった。

しかし、もともと「学費一律半額」を訴えてきた「FREE」は同年五月一九日に「対象が狭く、全ての学生らの一〇人に一人にすぎない。不十分と言わざるを得ない」との声明を発表した。

また、外国人留学生にのみ成績要件を課したことと朝鮮大学校の学生を支援対象から排除したことも批判を浴びた。外国人留学生には日本人学生には課さない成績要件(前年度の成績評価係数が二・三〇以上)や出席要件(出席率が八割以上)を課しており成績上位の三割程度しか対象にならなかった。「外国人学生に日本人学生と同じ基準で現金給付をして下さい!」というタイトルのネット署名は、「学生の生活困窮に国籍は関係ありません。差別的な行為で、外国人留学生の人権を無視したもの」と訴え、二日間で五万筆を超えた。五月二九日には留学生差別の撤回を求める男性が集まった五万五八四三筆の署名を文科省に提出した。朝鮮大学校二年の男子学生(一九)は「共通の敵は民族や文化ではなくウイルスだ。差別せず、等しく学びを保障して」と訴えた(「東京新聞」二〇二〇年五月三〇日付)。

留学生に成績要件について、文科省は「最終的には大学などの判断」とし、実際に京都大学や京都市立芸術大学のように成績や出席率に関係なく経済的な困窮度のみで審査する方針をとった大学もあった。しかし、文科省からの配分額が不十分だったため、条件を満たした学生でも支給を受けられないケースが見られた。

朝鮮大学校を学生支援緊急給付金の対象から除外したことについて、文科省は「一定の線引きは必要」として各種学校を対象外にしたと説明している。高等教育局の担当者は「朝鮮大学校だけを認めて支給すると、他の各種学校に説明がつきません」と話したという（「毎日新聞」二〇二一年一月一四日付）。そんなことはない。説明はいくらでもつく。朝鮮大学校の卒業者で他大学の大学院へ進学する者も多いし、弁護士資格を取った者もいる。学校教育法に規定される大学と同等の内容・水準を持つ高等教育機関であることは明白だ。専門学校になれないのは、「我が国に居住する外国人を専ら対象とするものを除く」という規定（学校教育法第一二四条）が存在するからだ。朝鮮大学校と他の各種学校の間に線を引くことは十分可能だ。外国大学日本校は給付金の対象になっているが、これらと朝鮮大学校の間に線を引く方が不合理である。二〇二〇年一一月に衆議院議員会館で開かれた集会に出席した朝鮮大学校の女子学生は「私たちはどうすれば線の内に入れるのでしょうか。いや、どうすればその線をなくせるのでしょうか」と訴えた。むりやり理不尽な線を引いている政権を変えるしか方法はない。

この制度の差別性について国際非政府組織の「反差別国際運動」（ＩＭＡＤＲ）が二〇二〇年六月、国連に通報したところ、二〇二一年二月、国連の人権問題担当の特別報告者から日本政府宛てに是正を求める書簡が届いた。この書簡は、学生支援緊急給付金制度が国際人権規約や人種差別撤廃条約などの「国際人権法上の義務を順守していないことを懸念している」とし、朝鮮大学校の排除については「マイノリティーの学生を差別していることを懸念する」「こうした排除は学校の制度的自律性を損なう恐れがあり、マイノリティーの学生のアイデンティティーを促進する教育へのアクセスを一層危うくする」と指摘している。外国人留学生に成績・出席要件を課したことについては「留学生が直面する困難は学業成績とは何の関係もない」と指摘し「平等に教育を受ける権利を損なうことを懸念する」として「差別に相当する可能性がある」と述べ、「違反の停止と再発防止、責任を明確にするために必要な暫定的措置を講じることを強く求める」とした。日本政府は、いずれも差別ではないと主張する書簡を、二〇二一年四月に国連に送った。

安倍政権・菅政権は国際人権法に反する行為を平然と行い、国連から指摘を受けても何らの是正も行おうとしない。私たちの政府は人権という価値を他の先進国と共有しているとは到底言い難い政府なのである。

対面授業かオンラインか

二〇二〇年度はほとんどの大学で普通のキャンパスライフが消えた。

文科省が二〇二〇年八月二五日から九月一一日に実施した調査では、授業を全面的に対面で実施する大学は一九％にとどまっていた。対面と遠隔の授業を併用するのは八〇％だったが、その七割近くは授業の半分以上が遠隔だった。萩生田光一・文部科学大臣は繰り返し対面授業を行うよう求めていたが、一〇月一六日の会見では対面授業が五割未満の大学名を公表する方針を示した。一一月一九日に行った国公私立大学の各団体のトップとの協議では大学側から反発の声が出たが、萩生田大臣は一二月二三日大学名の公表に踏み切った。対面授業が五割未満だった三七七校に対し、文科省が一〇月二〇日時点の状況を尋ねたところ、約半数（四九・六％）の一八七校で依然として五割未満だった。

政府が二度目の緊急事態宣言を発令した二〇二一年一月八日、文科省は大学生の飲み会の自粛や部活動の合宿や練習試合の制限を呼びかける通知を出したが、オンライン授業の実施は求めなかった。一方、東京都の小池百合子知事は二〇二一年四月八日「改めてオンライン授業の導入など感染防止対策の要請を各大学に行っていく」と発言。吉村洋文大阪府知事も大学に対しオンライン授業を要請した。萩生田大臣と小池知事や吉村知事の方針は明らかに食い違っており、大学を困惑させた。大学のオンライン授業は感染拡大防止に一定の効果はあると考えられるから、萩生田大臣の一律に対面授業を求める態度には疑問がある。

学生の間には孤独感や不安感が広がった。立命館大学の学生新聞が行ったアンケートでは、二〇二〇年度秋学期以降の退学を考えている学生が一割近くいた。休学を検討している学生は約四分の一に上った。秋田大学が二〇二〇年五月から六月に行った調査では、回答した学生の一割以上に中等度以上のうつ症状が見られた。全国大学生協連合会が二〇二〇年七月に行ったアンケートでは、回答した約九〇〇〇人のうち、約二〇〇〇人が「大学で新しくできた友達が〇人」と答えた。同会が同年秋に行った調査では、大学生活が「充実している」「まあ充実している」と答えた学生は、七四・二％で前年より一四・六ポイント低かった。特に一年生では五六・五％で前年より三三ポイントも低かった。文科省が二〇二一年三月に行った調査によれば、学内の友人関係に悩みを抱えている学生は二九％だったが、学年別に見ると一年生が四六％で最も多かった。悩みの内容は「友人が思うようにつくれない」「友人と思うように交流できない」などだった。

学生の間には、大学に対し施設費の返還を求める動きも見られた。政府が「Ｇｏ Ｔｏキャンペーン」に対抗して「Ｇｏ Ｔｏキャンパス事業もお願いします」という署名活動を始めた学生もいた。東京都立川市に住む明星大学経営学部二年の男子学生は、一年間対面授業を受けられなかったとして、授業料の一部や通学できなかった精神的損害を合わせて一四五万円の賠償を求める訴訟を東京地裁立川支部に起こした。

一方、オンライン授業によって学生が授業参加に前向きになったという評価も見られた。チャット機能を使って授業中の学生の質問が増えたり、遅刻や欠席が少なくなるなどの効果が見られた（「朝日新聞」二〇二〇年八月二四日付）。九州大学が六月に行ったアンケートでは、オンライン授業が対面授業を「代替できていた」とする学生は、一年生では二〇％だったが、二〜四年生では五三％に上った。「自分のペースで学習できた」「授業に集中できた」などが長所として挙がった（「毎日新聞」二〇二〇年一二月六日付）。また、新型コロナへの感染を恐れて、オンライン授業の継続を望む学生の声もあった。

高等教育におけるオンラインの活用は国際的な傾向でもある。日本の現行制度では、大学の卒業に必要な一二四単位のうち、遠隔授業で取得できる上限は六〇単位となっているが、コロナ禍の下でこの規制が緩和された。早稲田大学や慶應義塾大学が加盟する日本私立大学連盟は二〇二〇年七月、この規制緩和を恒久化するよう文科大臣に要望した。

教職員と児童生徒へのワクチン接種

新型コロナワクチンの接種は、二〇二一年二月まず医療従事者から開始され、四月からは高齢者への接種も始まった。予約のキャンセルなどでワクチンが余る事態が各地で生じたため、余り分を近隣の学校の教職員に接種する自治体がでてきた。例えば、東京都世田谷区では五月二八日、余ったワクチンを集団接種会場の半径五〇〇メートル圏内にある保育園、幼稚園、小中学校の教職員などに接種することにした。このような自治体の判断は歓迎すべきものだが、学校や保育所は病院や介護施設と同様に、人的接触が避けられない施設であり、かつ原則として閉鎖できない施設なのであるから、本来は国が教職員などの優先接種の方針を打ち出すべきであった。

子どもへのワクチン接種については、厚労省が六月一日以降米ファイザー製ワクチンを一二歳以上の子どもに接種することを認めたことから、各地で取り組みが始まった。京都府伊根町では、高齢者への接種が順調に進んだため、一二歳以上の全町民に対象を拡大し、中学生については六月末ごろまでに集団接種を行う計画を立てた。ところが、子どもに接種することに対し「人殺し」などと抗議する電話が相次いだため、中学生の集団接種を取りやめ、個別接種に転換することにした。岡山県総社市でも同様のことが起きた。神戸市でも市立中学・高校での集団接種の検討を始めたが、反対の声が大きかったため、六月一〇日には検討を休止した。

文科省は六月二二日、厚労省と連名で文書を発出し、学校での集団接種については、保護者への説明の機会が乏しくなること、同調圧力を生みがちであること、接種後の体調不良への対応が難しいことなどを理由に「現時点で推奨するものではありません」と述べた。基礎疾患のある子どももいるし、ワクチン接種の副反応に不安を覚え子どもへの接種を望まない保護者もいる。それは当然のこととして認めなければならないから、この文科省の方針は妥当なものだと言える。もちろん、ワクチン接種を妨害する行為は厳しく批判されるべきである。

オリパラへの「学徒動員」

一年先送りにされ二〇二一年七月二三日から開催されることになった東京オリンピック・パラリンピック大会（以下「オリパラ」）については、新型コロナの第五波が予期され、国民の中に中止論・再延期論が強い中で、菅政権と小池都政はＩＯＣ（国際オリンピック委員会）との強固な「同盟」関係の下、断固開催へ突き進んだ。その様子を無謀な戦争に突入したかつての大日本帝国になぞらえる人もいた。その中でオリパラへの学生ボランティアの活用と小・中・高等・特別支援学校の児童生徒の観戦促進は「学徒動員」になぞらえられた。

オリパラ組織委員会（以下「組織委」）は二〇一八年に大会ボランティアを募集し、八万人の目標人数を確保した。文科省は、全国の大学などに開催期間の授業や試験の日程を柔軟に調整するよう通知した。しかしオリパラの一年延期後、日本全体が第三波・第四波に見舞われる中、大会ボランティアの辞退者が続出し、二〇二一年六月には一万人に達した。同じ時期に、派遣会社などの求人情報にオリパラの高給アルバイト募集の文字が躍る（おど）ようになった。飲食店などのアルバイトが減る中で困窮する学生にとってはありがたい働き口ができたことになるが、オリパラで同じ学生が無給ボランティアと高給アルバイトとして並んで働くという矛盾に満ちた状況が現出することになった。

児童生徒のオリパラ観戦については、組織委が東京都内外の学校の子どもたちのために約一二八万人分のチケットを用意していた。東京都教育委員会は二〇一九年八月の時点で都内の学校の意向を踏まえて約八一万人の観戦を計画していた。組織委、東京都、政府、IOC、IPC（国際パラリンピック委員会）による五者協議（二〇二一年六月二一日）の結果、オリパラの観客数は各競技施設の収容定員の五〇％以内で最大一万人とする方針が決まったが、IOC、国際競技団体、スポンサー企業などの関係者を別枠とするのと同時に、児童生徒のための「学校連携観戦チケット」についても別枠とすることが決まった。オリパラ教育としての意義があることや行動管理が容易で感染リスクが小さいことがその理由とされた。

しかしオリパラの開催が近づくにつれて、児童生徒の観戦をキャンセルする自治体が増えていった。二〇二一年七月四日付の「東京新聞」によれば、神奈川、埼玉、千葉の三県では、計二八万六〇〇〇枚の申込みがあったが、そのうち六割にあたる計一七万五〇〇〇枚のキャンセルがあった。東京都はキャンセル状況を明らかにしなかったが、同紙の取材では、この時点で少なくとも九区市が観戦を中止していた。「観戦」の意義よりも「感染」のリスクを重視したということだ。オリパラへの「学徒動員」は失敗したと言ってよいだろう。

（二〇二一年七月五日）

［アメリカ］

新型コロナ日記　イン　アメリカ　3

町山智浩

町山 智浩（マチヤマ・トモヒロ）

一九六二年、東京都生まれ。映画評論家、コラムニスト。早稲田大学法学部卒業。「宝島」「別冊宝島」等の編集を経て、一九九五年に雑誌「映画秘宝」を創刊した後、渡米。現在はカリフォルニア州バークレーに在住。近著に『映画には「動機」がある』（集英社インターナショナル）、『最も危険なアメリカ映画』（集英社文庫）、『町山智浩のシネマトーク』（スモール出版）などがある。

二〇二一年一月三日

アメリカは今まで最悪の状況で新年を迎えた。全米の新型コロナウイルス（以下、新型コロナ）新規感染者は毎日平均二〇万人以上、死者数毎日平均二〇〇〇人以上。累計死者数は三五万人を超えた。アメリカ史上最大の悲劇とされる、南北戦争の死者六二万人に迫る可能性が出てきた。この危機から脱出するにはワクチンしかない。

「私が大統領に就任して一〇〇日以内に新型コロナワクチンの接種を一億回達成します」

二〇年一二月の大統領選挙で勝利したジョー・バイデンは、一二月八日の記者会見でそう約束した。大統領就任式は二一年一月二〇日だ。

一月六日

この日、アメリカの新型コロナによる死亡者数は三六万人を突破した。たった三日で一万人亡くなったのだ。災害や戦争で一万人の犠牲が出たら国家的な事態だと思うが、トランプ大統領は、この日、国家を転覆させようとした。

連邦議会の議事堂に、自分の支持者を突入させたのだ。トランプは去年から、二〇年一一月の選挙で自分が負けたらそれは不正があったに違いないから敗北を受け入れないと明言していた。実際に民主党のバイデン候補に負けると、「バイデンは自分の票を盗んだ」「本当の勝者は自分だ」と主張し続けた。

そして二一年一月六日、首都ワシントンの連邦議会の議事堂で、大統領選の結果を認定する手続きが行われているまさにその時、ホワイトハウス前にトランプ勝利を信じる数千の群衆を集め、「戦え！」「議会に行け！」とけしかけた。

彼らは暴徒と化して、警備の警官一名を殴り殺して議会に乱入した。

議員たちは地下に避難し、暴徒が去った後、粛々とバイデン勝利を認定した。

一月八日

アメリカ労働省は二〇年一二月の雇用統計を発表した。そこで二〇年一年間で失われた雇用は九三七・四万人とされた。前回の不景気、二〇〇八年のリーマンショックを上回る数字だ。二〇年一二月の非農業部門の雇用者数は前月に比べて一四万人減少した。一二月から新しい波が来て、新型コロナ感染者数が上昇している影響。

現在の失業率は六・七％。それほど高くない印象だが、労働参加率は六一・五％と史上最低水準を推移している。失業率は過去四週間以内に求職活動をしている人しか失業者として計算しない。あきらめて一カ月以上職探しをしない人が多いのだ。

部門別にみると、二〇年一二月に最も多く職を失ったのはレジャーやエンターティンメント産業で、四九・八万人も減っており、そのうち外食産業は三七・二万人にのぼる。

映画は観客数を五割に減らしているが、新作の公開はほとんどなく、また、ニューヨークやロサンジェルスなど大都市の映画館は閉鎖が続いている。レストランも都市部では屋内の食事を禁止し、路上にテーブルを置いているが冬だから客は増えない。特に氷点下のニューヨークではアウトドアはきついだろうと思ったら、日本料理屋が外に掘りごたつを置いて人気だそうな。ニューヨークの夜景に降る雪を見上げながらこたつで熱燗(あつかん)ってちょっといいよね。

一年間で一〇〇〇万人近い職が失われたにもかかわらず、「景気」はいい。景気を株価に限って考えるならだ。全米が完全に新型コロナで止まった去年三月に株価は下落したものの、すぐに回復し、夏には史上最高値を更新し、その後も上がり続けている。新型コロナで産業が停滞しているので金の行き場がなく、それが投資に向けられてバブルが起こっているわけだ。

株式を所有する者は、コロナ禍で資産が四割以上増えた者も多い。その一方で数百万人が職を失い、家賃が払えずホームレスも増えている。実体経済と金融市場が完全に分離されて逆方向に進み、格差が急激に拡大している。

新型コロナのワクチン接種が進んでも、この格差はそう簡単に縮まりそうにない。

一月一八日

毎日の新型コロナ新規感染者数は二〇万人を切り始めたが、死者はまだ毎日平均三〇〇〇人。ピークは越えていない。ところがトランプ大統領が突然、飛行機旅行の規制を緩和した。根拠がまったくわからない。あと二日後に大統領に就任するバイデンは再び規制を強化するだろう。トランプの新型コロナ政策は最後まで意味不明だった。

一月一九日

新型コロナ感染の犠牲者が四〇万人を超えた。就任式を明日に控えたバイデン次期大統領は、首都ワシントンで新型コロナ犠牲者の追悼式を行った。

バイデンは「暗闇に明かりを灯して、失った人たちを思い出そう」と語り、会場になったリンカーン記念堂前の池の周りに四〇〇個のランタンを点灯した。

ヨーロッパからの入国規制が一カ月近く遅れ、新型コロナをアメリカに広げることになったトランプ大統領は、新型コロナ犠牲者に対して謝罪どころか追悼もしていない。

一月二〇日

バイデン新大統領の就任式が行われた。彼は「アメリカはコロナ感染の最悪の局面にある」と演説した。ここ一週間で米国の新規感染者数は毎日平均約二〇万人、死者は毎日三〇〇〇人。今日も一二万三〇〇〇人が入院している。

「我々は政治的対立をいったん脇に置いて、一丸となって新型コロナに立ち向かわねば」

大統領に就任したバイデンは、さっそく新型コロナ対策強化に着手。まず連邦政府施設内でのマスク着用を義務付ける大統領令に署名した。トランプ前大統領はマスクが嫌いだったので自分がつけないばかりか、マスクなしでホワイトハウスでパーティを開いたり、集会を行ったので、出席者やスタッフ、シークレットサービスなどに大量の感染者を出し、自らも感染した。

さて、バイデンは今日から一〇〇日以内に全米で一億回のワクチン接種という目標を達成できるか。毎日平均で一〇〇万以上の接種が必要だが、現在、毎日八九万回に増えている。

一月二一日

就任から一夜明けたバイデン新大統領は、今日も一〇種類の新型コロナ対策の大統領令に署名した。まず、海外からの入国者に自主隔離の義務化。列車や飛行機などの公共交通機関でのマスク着用も義務化。

一年前のこの日、アメリカで初の感染者が確認された。バイデン大統領は「この一年、政府の無策のために、アメリカの新型コロナ犠牲者は世界最大になった」と、トランプ前政権を批判した。

一月二二日

調査会社スタティスタは、トランプ大統領の新型コロナ対策についてアメリカ国民にアンケートした結果を発表した。批判的な人が五三％で、支持する人四〇％（そのうち強く支持する人は一九％）を上回った。特に激しく批判的な人は四二％に上った。

一月二三日

全米のワクチン接種回数が一日一〇〇万を超えた。

ワクチン接種の優先順位は各州、さらに各郡に委ねられているが、まず最初に接種を受けるのは、新型コロナ患者を扱うフロントライン（最前線）の医療従事者。日々、新型コロナに接している彼らは感染の可能性が最も高く、また院内感染を広げないためにも、まず医師や看護師から免疫を取得しないとならない。

タレントとしておなじみ野沢直子さんはサンフランシスコに住んでいて、夫ボブさんは州立大学病院の正看護師。Ｚｏｏｍで話してみると、この一年、新型コロナとの戦いで寝る暇もなかったという。

「ワクチンが打ててホッとするけど、困るのはワクチン陰謀論の人たちだよね」ボブさんは言う。サンフランシスコの北にあるマリン郡には高額所得者が多く住むが、彼らの間では昔から反ワクチン主義者が多い。彼らがはしかのワクチンを子どもに受けさせることを拒否して、たびたび問題になっている。

打ちたくない人は打たなくていい、という問題ではない。全体の七割がワクチンを二回打って免疫をつけないと集団免疫はつかない。

今回は特にトランプ大統領を支持する人々の間でバカげた陰謀論がまん延している。ワクチンにはビル・ゲイツが開発したナノ（極小）マシンが入っていて、それで人々をマインドコントロールしようとしているというのだ。

「変な噂よりも科学を信じてほしいよね」ボブさんは肩をすくめた。

一月三〇日

全米のワクチン接種回数は三〇〇〇万回を超えた。日々の平均接種数は一二〇万を超えて伸び続けている。

我がカリフォルニア州では、医療関係者の次は七五歳以上の高齢者が接種を受ける。各地の老人ホームで新型コロナの爆発的感染が起こり、多くの高齢者が亡くなった。介護施設の職員も優先的にワクチンを受ける。

その次は、六五歳以上の高齢者、それに救急隊員、消防士、警察官など、新型コロナ感染者との肉体な接近が避けられない職種の人々。さらに学校教師、託児所職員、食料品やドラッグストアの従業員、飲食店など不特定多数の人々に日常的に接し、感染を拡大する可能性がある職種がワクチン接種を受ける。

また食肉加工所では肩を並べて作業するので感染が広がったことから、人々の生活に不可欠な、肉、魚、農作物などに関わる業種も優先的にワクチン接種を受けることになった。

二月一日

カリフォルニアでのワクチン接種の手続きは以下の通り。予約はインターネットで行える。スマホならアプリをインストールする。優先順位に該当する人はその理由（年齢、職業、健康状態）などを書き込み、最寄りの接種会場の空きを確認して日時を選ぶ。するとQRコードが送られてくるので、それがチケットになる。接種当日には行く前に健康状態についてオンラインで自己申告する。これで会場に行けば、医師の問診無しでいきなり接種が受けられるという仕組み。

二月三日

今は春節。中国の正月だが、中国、アジア系に対するヘイト・クライムが全米で増加している。

一月二八日、うちから湾を挟んだ対岸のサンフランシスコでタイ系の八四歳の老人が背後から突き飛ばされ、二日後に亡くなった。

一月三一日、うちの近くのオークランドのチャイナタウンを独りで歩いていた九一歳の中国系の老人が、背後から何者かに突き飛ばされて大けがをした。その瞬間は防犯カメラに映っていた。

二月三日、東海岸ニューヨークの地下鉄で、フィリピン系の六一歳の男性がカッターナイフで鼻の下を右頬(ほお)から左頬にかけて水平に切り裂かれた。

アジア系に対する暴力事件は去年の三月から一二月にかけて二八〇八件が報告されている。直接の暴力だけでなく、差別語を投げかけたり、差別的な落書きをしたりの嫌がらせまで含めると、ニューヨーク市警だけで例年の一九倍もの通報があった。

新型コロナのせいで仕事を失った人々の鬱憤が爆発したと言われている。さらにトランプ前大統領が新型コロナを「中国ウイルス」「武漢(ぶかん)ウイルス」「カンフル（カンフー&インフルエンザ）」

と呼び続けて火に油を注いだ。自分のコロナ対策の失敗を中国への憎悪へとすり替えるためだ。

二月一一日

ワクチン接種が全米に拡大している。日々の平均接種数は一六〇万に増えた。

筆者が住むベイエリアでは、メジャーリーグのオークランド・アスレティックスの球場オークランド・コロシアムの駐車場が会場になり、毎日六〇〇〇人が接種を受ける。

自動車で行く人はドライブスルー方式で、車に乗ったまま注射を受ける。

徒歩の人は会場まで行くBARTという通勤電車の料金が無料になる。

それ以外では競馬場や大型スーパーマーケットの駐車場でもドライブスルー接種が行われる。

全米のどこにでもあるドラッグストア・チェーン（ウォールグリーン、CVS、ライトエイド）でもワクチン接種が行われる。

二月二〇日

ワクチン・チェイサーと呼ばれる人々がいる。

ワクチン接種は各州ごとに年齢や職業、健康状態で優先順位が決められている。でも、それよりも早く接種したい人はワクチン・チェイサーになる。

ワクチンは各接種会場ごとに割り当てられる数が決まっている。特にファイザーのワクチンは極低温で保存する必要があり、解凍した後はすぐに接種しないと効果がなくなる。しかし、予約した人々が全員来るとも限らない。また、割当数に対して予約者が少ない会場もある。だから会場によってはワクチンが余って破棄される。

ワクチン・チェイサーはその余りを接種する人々だ。予約状況は各会場ごとに公式に発表されているので、空きがある所に行けば、予約なしでも、優先順位が低くても、余りを接種してもらえる。どこで余りが出るか、全部の会場をチェックするのは大変だが、SNSで飛び交う「あそこが空いてるよ」という口コミを拾って、会場を探す。情報をまとめているサイトもある。

人口の多い都市部よりも、郊外に行けば行くほど余りが多くなる。自動車で一時間、二時間走ってワクチンを受けに行くチェイサーも多い。東京から車で二時間走れば伊豆に着いてしまうが、カリフォルニアは広いので、その程度は「近く」の範囲内。

若い人たちや、新型コロナ感染の可能性が低いオフィスワーカー、自由業の人たちは接種の優先順位がずっと後だが、一刻も早く新型コロナから自由になりたい人はワクチン・チェイサーをやっている。車で何時間も走る価値はある。

三月一一日

バイデン大統領は、新型コロナによる経済被害の対策「米国救済計画法」に署名した。この法案の肝は、子どもを含むアメリカの合法的住民すべてに一人一四〇〇ドル（約一五万円）の現金が給付されること。ただし去年の納税記録に基づき年収が七万五〇〇〇ドルを超えると段階的に減額され、年収八万ドル以上の人には給付されない。

去年末にトランプ前大統領が署名した一人六〇〇ドルとあわせて一人二〇〇〇ドルの給付になり、四人家族では合計八〇〇〇ドル（八八万円）になる。これは低所得世帯にとっては年収の四分の一以上に相当する。

さらに失業保険に月当たり三〇〇ドルを上乗せする。これが九月六日まで毎月支払われる。

バイデン大統領はこの日の夜に国民に向けてテレビ演説を行い、五月一日までに全ての成人がいつでもワクチンを打てるよう各州に指示すると約束し、六月末までに成人の七割が少なくとも一回のワクチンを接種し、小売店や飲食店やスポーツや映画館などをコロナ前のように再開して正常な経済を取り戻すと宣言した。

「七月四日の独立記念日はコロナ前のように祝えるでしょう。ウイルスからの独立の開始を記念した特別なものにします」

バイデン大統領就任から明日で五〇日目だ。

三月一五日

全米で少なくとも一回のワクチン接種を受けた人が七〇〇〇万人を超えた。

今日からカリフォルニアでは、六四歳以下一六歳以上でハイリスク（新型コロナで重症化する可能性の高い健康状態）の人々がワクチンを受けられるようになった。心臓病、糖尿病、脳梗塞などの既往症を持つ人のこと。

また、バスや電車、地下鉄などの交通機関に従事する人、それにホームレスの人も接種を受けられる。

三月一八日

バイデン大統領はワクチン接種一億回という目標を明日には達成すると発表した。「就任から一〇〇日以内に一億回と公約したとき、無茶な約束をしたと言われたものだ。でも、その約半分の五八日目に約束を果たすことができた。八週間前、六五歳以上の高齢者のわずか八パーセントしかワクチンを接種していなかった。しかし今、その六五％が少なくとも一回のワクチンを打ち、三六％は免疫取得に必要な二回の接種を完了している」

バイデン大統領は新たな目標として、五月の終わりまでに成人のすべてに最低一回のワクチン接種を実現し、できるだけ早く経済の回復を目指したいと述べた。

三月二五日

この日までに全米でワクチン接種数は一億三〇〇〇万回に達した。二回の接種を完了した人は四七〇〇万人におよぶ。

バイデン大統領は記者会見で、就任から一〇〇日後の四月末までにワクチン接種二億回を目指す、と新しい目標を表明した。当初の目標の二倍だ。

全米でワクチン接種が現在のペースで一日平均二〇〇万〜二五〇万回を維持すれば、四月末までに二億回に到達する見込み。

三月二九日

「ここで気を緩めるな」

バイデン大統領はテレビ演説で全米各州の知事に公共の場でのマスク着用を再び義務化するよう呼びかけた。

ワクチン効果で新規感染者数はピーク時の一日三〇万人から六万五〇〇〇人に減った。だが、テキサスやフロリダでは早くもマスク着用の義務化をやめたり、飲食店などの人数規制を撤廃するなど規制を緩めている。これによって感染が再び増加している地区もある。

四月二一日

バイデン就任から九二日目、目標とするワクチン接種二億回を明日にも達成できると発表された。死者数もピーク時の毎日三〇〇〇人から七〇〇〇人前後に減少した。

四月二九日

「パンデミックによる大恐慌以来最悪の経済危機。就任からわずか一〇〇日しかたっていないが、米国は再び動き出しました」

バイデン大統領は就任してから一〇〇日目の今日、初めて議会で演説した。

「今では六五歳以上の高齢者の七〇%がワクチンによって完全にコロナから守られています。

高齢者の死亡数は一〇〇日で八％減りました」

特にキニピアク大学による調査では、国民の六四％がバイデンの新型コロナ対策を評価している。

国民一律一四〇〇ドルの給付も各家庭に届いたところで、さらにバイデンは新型コロナで広がりすぎた格差を是正する方針を示した。

「コロナで二〇〇〇万人が職を失いました。しかし、上位六五〇人の億万長者の純資産は、一兆ドル以上も増加したのです」

それは彼らの持ち株や不動産価格が上昇したからだ。バイデンは高所得者のキャピタルゲイン（株式や不動産売却益）に増税して、インフラ投資に回して富を再分配するという。

バイデン大統領の支持率は、ギャラップ社による調査では五七％。オバマやレーガンは六割以上だったが、それ以外の歴代大統領と比べれば上々の評価。だが、バイデンのインフラ投資案には共和党が激しく反発しており、理想通りにいくはずがないと言われている。

五月一三日

「今日は素晴らしい日だ」

バイデン大統領はそう言ってマスクを外した。

米疾病対策センター（ＣＤＣ）はこの日、ワクチンの接種を二回すれば、屋内外を問わず、マスクを着用せず、ソーシャルディスタンスも取らなくていいとする指針を発表した。ただし、バスや飛行機、病院など混雑した屋内では引き続きマスク着用が求められる。バイデンはこうツイートした。

「ワクチンを打つか、マスクを着け続けるか、選ぶのはあなただ」

でも実際は反ワクチンの人の多くが反マスクだ。で、トランプが今も本当の大統領だと信じている。

六月四日

アメリカ労働省が発表した先月の雇用統計によると、就業者が前月比で五五万人増え、失業率も五・八％に改善した。

特に「接客・レジャー部門」の雇用が二九万人増えたのは、ワクチン普及でレストランなどが再開した影響だ。おかげで人手不足も起こっている。レストランなどで新型コロナが厳しい時に解雇した従業員たちが、別の仕事に移ってしまったからだ。

また失業人口はコロナ前より三〇〇万人以上多い九三〇〇万人。まだ正常化への道は険しい。

六月一五日

全米の新型コロナ感染による死者数が累計六〇万人を超えた。しかし日々の死者数は平均で三〇〇人程度に収まりつつある。

この日、カリフォルニア州のニューサム知事とニューヨーク州のクオモ知事は、去年の三月から一年三カ月続いてきたコロナ対策の規制をほぼ撤廃すると宣言した。

レストランや映画館では室内の客数への制限がなくなる。遊園地も普通の営業再開に向かう。ただブロードウェイの舞台の正常化は九月になる。一年以上休んでいたので稽古やリハーサルが必要だからだ。

六月二四日

バイデン大統領は、ノースカロライナ州で演説し、七月までに成人の七割がワクチン接種という目標は達成できないだろうと語った。
ワクチン接種率はここのところ伸び悩んでいる。接種を望んでいた人たちがひと通り打ち終わったからだ。集団免疫を達成するには、ワクチンを打ちたいと思ってない人たちにワクチンを打たせる必要がある。つまり反ワクチン主義者やワクチン陰謀論者、自分はかかっても発症しないと思っている若者たちだ。
ノースカロライナ州は接種者に一〇〇万ドルがあたる宝くじなどを提供してワクチンを広げようと苦労しているが、接種率はいまだ五五％にすぎない。南部の共和党の強い州ほど接種率は低い。

七月一日

今まで五割に人数制限していたメジャーリーグも、七月からフルで観客を入れることになった。これから夏休みでいちばんの稼ぎ時だしね。

七月四日

アメリカ独立記念日にニューヨークを訪れた。去年の今頃、ニューヨーク市は新型コロナの死者三万人を超え、他州との出入りを制限していたが、今は毎日の死者数を平均五人にまで抑え込み、めでたくリオープン（営業再開）して観光客を迎えた。

コロナ前は毎日三〇万人が訪れたニューヨーク観光の中心地タイムズスクエアはゴーストタウンのように閑散としてたそうだが、やっと旅行者が戻ってきた。

「どこから来たの？」

「イスラエルだよ。ワクチンばっちり打ってるからね！」

ニューヨークが感染を抑えたのも七割に達したワクチン接種率のおかげだ。さらに接種を増やすため、ニューヨーク市は市内のあちこちにテントを張って、無料接種サービスをしている。予約なしでいきなり飛び込んでも、運転免許証かパスポートがあれば、誰でも注射してくれる。旅行者でも。

「ワクチン打つために来ました」

と言うのは、ペルーからさっき着いたばかりの二〇代の女性ジョスリンさん。ワクチンも観光客を呼ぶアトラクションになっている。

前述のとおりブロードウェイのミュージカルは九月から再開だが、一人舞台はすでに始まっており、ブルース・スプリングスティーンが一人で弾き語りするライブもすでに再開。だが、劇場前には抗議グループが集まって叫んでいる。

「スプリングスティーンは差別野郎だ！」

その劇場が観客にワクチン接種の証明の提示を求めているからだ。抗議しているのは反ワクチンの人々。「アイ・ラブ・トランプ」と書いたTシャツを着ている人もいる。

セントラルパークではバーベキューやピクニックする人々でいっぱい。芝生の上でじゃれあう子どもたち、キスをする恋人たち、名物の馬車に乗る新婚カップル。教会もやっとオープンして結婚式も始まっている。

独立記念日に毎年全米で行われてきた花火大会は感染を防ぐため去年中止されたが、今年は復活。摩天楼を背景に花火が観たいのでイーストリバーの対岸のブルックリン側に渡るともう五万人も集まっていた。去年の分まで奮発して史上最大の六万五〇〇〇発が打ち上げられた。

ニューヨーク、いや、アメリカ再開の号砲だ。

七月一六日

今、アメリカでは薬局でも病院でも、そこらじゅうでいつでも誰でも予約なしで無料でワクチンを打てる状況だが、接種率は頭打ちだ。デルタ株による重症者のほとんどがワクチン未接種だというのに。

バイデン大統領は記者会見で、ありもしないワクチンの危険性や陰謀論を拡散するSNSを激しく批判した。

「彼らは人々を殺している」

ネットのニセ情報はウイルスのように猛スピードで広がるが、効き目のあるワクチンはまだ開発されていない。


（二〇二一年七月二一日）

［経済］

まだまだ進む
コロナショックドクトリン

松尾 匡

松尾 匡（マツオ・タダス）

一九六四年、石川県生まれ。立命館大学経済学部教授。専門は理論経済学。神戸大学大学院経済学研究科博士課程修了。論文「商人道！」で第三回河上肇賞奨励賞を受賞。著書『この経済政策が民主主義を救う』（大月書店）、『ケインズの逆襲、ハイエクの慧眼』（ＰＨＰ新書）、『新しい左翼入門』、『左翼の逆襲』（以上、講談社現代新書）、編著に『「反緊縮！」宣言』、共著に『そろそろ左派は〈経済〉を語ろう』（以上、亜紀書房）、『資本主義から脱却せよ』（光文社新書）など多数。

1 前二冊の拙稿で確認したこと

企業の海外進出の裏面としての中小企業淘汰

本書のシリーズの前二冊を通じて、「コロナショックドクトリン」と呼ぶべき、コロナ禍を利用した新自由主義的な経済構造転換策が進められていることを描写した。一冊目はまだ安倍政権時代だったが、東京財団政策研究所などのシンクタンクが打ち出したこのグランドデザインが、政府のコロナ対策に取り入れられている様子を示した。二冊目は、それが菅政権になって、いっそうはっきりとした政権の大方針となって推進されていることを示した。今一度、前二冊の拙稿の論旨をまとめると次のようになる。

財界の主流は人口減少が進む日本市場に見切りをつけ、旧来産業は海外に企業進出してグローバルに競争する方針である。「輸出で稼ぐ国」から「海外で稼ぐ国」への転換である。国内に残すのは、一つは高付加価値部門である。うち一つの柱としてはデジタル分野などがあげられる。ここでは「高度プロフェッショナル」制で残業代を出さずに長時間労働を強い、国際競争力をつける。もう一つの柱は富裕層向け高級ビジネスである。農畜産業も富裕層向け高級品で輸出産業化させる。

それ以外は貿易できないサービス業が残る。働く人の多数派は、そこで働く非正規低賃金労働者となる。そのために多様な非正規化が推進される。

中小企業は、規模を拡大し、以上にあてはまるよう目指すものは「はした金」を出して公的に支援する。それ以外の、薄利で地域のニーズを支える業態は支援せず淘汰の対象にする。低賃金非正規労働者ばかりの消費者にはそんな割高な業態では割に合わない。だから海外進出企業から激安で輸入してスケールメリットのある大チェーン店で売り、低賃金でも生かしてやれる体制にする。

そのために円高で価格を下げる。「輸出で稼ぐ国」の時代は円安志向だったが、「海外で稼ぐ国」は円高志向になる。そのためには財政赤字を日銀が始末しなくてもいいように、財政均衡するよう、緊縮財政、大衆増税が目指される。

消費税増税はそのために必要とされるが、それ自体が中小零細企業淘汰の手段としても不可欠となる。さらには、最低賃金引き上げも淘汰の手段となる。

そして、日本企業の進出先の東南アジアでは、米抜きTPP（環太平洋パートナーシップ）のISDS（投資家対国家の紛争解決）などの投資保護制度で地域支配を企む。さらには、進出企業保護のために自衛隊を派兵可能にする。すると中韓とショバ争いになるリスクがあるので、北方の安全のために対露融和に努めるわけである。すなわち、アメリカの従属下にありながらもそこから相対的に自立した独自の地域帝国主義圏を東アジア地域に作ることが、人口減少時代に適応した日本資本主義の生き残り策であり、国内産業の淘汰整理はその裏面なのである。

コロナをチャンスに淘汰を進めるため支援打ち切りを合唱

以上の路線を進めるために、コロナ禍は千載一遇のチャンスである。

このような路線の提唱者としては、菅義偉首相のかねてからのブレーンのデービッド・アトキンソン氏が有名である。彼は、日本の「生産性」なるものが低いのは小規模な企業が多いせいであるとして、中小企業の数を半減させることを唱え、コロナ支援の大半が小規模企業に出されていることを批判している。そして、コロナ禍は「日本最後のチャンスだ」と言いきる。そんな彼が、菅政権発足直後設立された成長戦略会議のメンバーに、同じく菅首相の昵懇である竹中平蔵氏とともに起用されたのである。竹中氏もまた、『文藝春秋』二〇二〇年一一月号で、コロナ禍での中小企業支援策で大事なのは「もともと経営が危なかった企業は救済しないということ」「淘汰されるべき企業を残しておくと、将来的に日本経済の弱体化につながります」と述べている。

しかし同様のことを述べているのはこの二人だけではない。前述の東京財団政策研究所も財務省の財政制度等審議会などの政府の審議会も、同じような顔ぶれの経済学者で占められているが、彼らは異口同音に、企業の「新陳代謝」の妨げになるとしてコロナ支援の打ち切りを合唱している。そして「生産性」向上に資するところに的を絞った支援を提唱している。昨年秋、第三波に向けたコロナ感染流行が高まる中でも、なおこのような提言がなされていたのである。

以上が前二冊の拙稿で紹介した、昨年のコロナショックドクトリンの概要である。信じられないかたは、実際に同稿を読まれ、シンクタンクや審議会で言われていることの引用の数々を確認されたい。拙著『左翼の逆襲』(講談社現代新書)、共著書『資本主義から脱却せよ』(光文社新書)にも詳しく論じたのでご確認いただけたら幸いである。

ちなみに、政府側の経済論客たちが「生産性」と呼んでいるものは、労働一単位でどれだけ物的生産をするかとか消費者を満足させるかという、正しい意味のものではない。付加価値を労働で割ったものである。だから人々の購買力が不十分で、国全体として財やサービスが売れなければ、必然的に国全体の付加価値は低くなって「生産性」は低くなる。

そんな中で、お上に言われるまでもなく、多くの中小企業が物的生産性を高める努力を続けてきた。しかし人々の購買力が足りなければその努力は価格競争力をつけることに向かい、結局売り値が下がって付加価値は小さくなる。これは景気政策の責任なのに、あえて各企業に付加価値生産性を上げろと言うならば、方法は三つしかない。富裕層向けの高級品商売をするか、市場独占力をつけて消費者を食い物にするか、労働者を切り捨てて分母を減らすかである。結局それが政府側経済論客たちの目指すところなのである。

2 グリーン淘汰発言と支援打ち切り

さて、本稿ではまず、前稿に間に合わなかった昨年末以降の、政府側のコロナショックドクトリン進展の動きを確認する。特に先日までの国会で、ほとんど騒ぎなく決まった何本もの重要法案について紹介する。

次に、コロナ禍下での世界の経済政策の動きが、このような東京財団＝アトキンソン路線が則る新自由主義的パラダイムから、大きく転換するものであることを確認する。バイデン経済政策に典型的に見られる「大きな政府」路線である。これはコロナ対策にとどまらない全般的な動きだと言え、アカデミックな議論でも、主流派経済学のコアにまでおよぶ経済認識が転換している状況にある。

さらに、このほど経済産業省（以下、経産省）が打ち出した新産業政策が、この世界的な政策実践と学術論議の転換をふまえ、大資本の側から最大限自分たちに有利になるようにこれに適応しようとするものであることを見る。そして、このかんフォローしてきた東京財団＝アトキンソン路線と、この経産省路線との引き合いと妥協として当面を展望する。最後に、この両者をともに乗り越えた、労働者・大衆の側に最大限有利になる形での、現在の世界的大転換への適応を提起する。

アトキンソン氏のリベラル撒き餌

まず、前稿を書き上げたあとの昨年の動きで着目すべきものとして、二〇二〇年一二月二五日の第六回成長戦略会議におけるアトキンソン氏の発言がある。この会議は、世界的な二酸化炭素削減の流れに対応した「グリーンエコノミー」の構築をテーマとしたものである。もともと昨年三月の東京財団提言でも、その後の政府コロナ対策の下敷きになったと思われる大和総研の対自民党プレゼンでも、抑制すべき政府支出の例外的集中先である「生産性向上に資する分野」としては、もっぱら「デジタル」があげられていた。それが、トランプ再選が消えたからだろうか、このころから政府支出の集中先は、「デジタル」に加えて「グリーン」が二大柱に掲げられるようになった。やにわに気候変動問題が政財界エリートの口にあがるようになった中での会議であった。

ここでアトキンソン氏は、企業を三つのグループに分けて、次のように言っている。

「3種類の企業のグループのうち、第1グループというのは、主に大企業が多いのだが、目標を出すだけで、大体それに向けて自主的に動く傾向がある。特に上場企業の場合、株主の方からそういうプレッシャーがあることが寄与していると分析されている。／第2グループの場合は、主に中堅企業になると言われているが、社会貢献型の企業が非常に多くて、このグループに関しては、貢献したいけれども、必ずしもそれを実現するためのお金を持っているわけではないので、補助金をもってインセンティブを与えて、促進をするということがポイントになる。／第3グループの場合、グリーンエコノミーをやらなくてはいけないとか、協力的「というわけ」ではないようなところの場合は、やはり規制をするしかない」

この成長戦略会議では、立ち上がって早々から、日本商工会議所の三村明夫会頭がアトキンソン氏の中小企業淘汰論に食いついてバトルが続いてきたのだが、この日も三村氏がこの発言を受けて、中堅企業には補助金を出して小規模企業は規制するというのはおかしいと批判している。それに対してアトキンソン氏は、「小規模企業とは言っていない」と弁明しているのだが、こんなことを明示的に規模で区別して制度化することはもとよりできるはずがない。このような言い方をしたら誰が聞いても「第3グループ」は小規模企業を指しているとわかる。犬笛を吹いて事実上の標的にしていることが問題なのである。

前稿でも取り上げたように、アトキンソン氏は最低賃金引き上げが持論である。菅首相もこれを受けて最低賃金引き上げを実現する意向である。一見良い政策のように聞こえるが、普通最低賃金引き上げ論者が同時に掲げる中小企業支援策については、何も言わないのがアトキンソン氏の議論であることに注意すべきである。彼の場合、明示的にこれを中小個人事業の淘汰策として位置付けている。

さらに言えば、アトキンソン氏は「女性の活躍」を口にする。それもまた、小規模な企業では十分な子育て支援もできず女性が活躍できないということを口実に、企業の規模拡大のための淘汰合併を正当化する理屈になっている。女性が働きやすい環境を公の責任としてどう公金をかけて実現するかという話を抜かしているのだから、このような結論になるのも道理である。

この日の発言から見ると、アトキンソン氏にとっては、「グリーン」もまた同様の淘汰の手段と位置付けられているのである。最低賃金引き上げも女性の活躍も「グリーン」も、リベラルな立場の人たちがこぞって賛成する主張である。しかしそのための公的な支援をしないことによって、中小個人事業淘汰の手段にしようと言うのである。

これは、コロナ対策のための営業抑制政策を押し付けながら、補償のために公金を出し渋る政府の姿勢と同じ図式である。実際、それによって見事に中小個人事業を淘汰する手段になっているではないか。「経済より命を」と言って営業抑制政策に賛成しそうなのは、やはりリベラルな立場の人に多いというところも同じである。コロナ対策も、最低賃金引き上げも、女性の活躍も、地球環境のための規制も、財政規律にとらわれて公的支援に及び腰になると、「リベラル」なはずの要求が、淘汰路線に加担することになるのである。

施政方針演説ではっきりと示された道

これに先立つ二〇年一二月八日に閣議決定された「総合経済対策」が、明けて二一年一月一八日に行われた菅首相の施政方針演説の基調となった。コロナ対策にはほとんど演説時間を割かず、時間の大半はポストコロナの経済成長戦略を語ることに費やされた。それは、前二冊で拙稿がフォローしてきた路線の集大成と言える。

曰く、「デジタル」と「グリーン」そして「イノーベーション」で経済成長する。そのために中小企業を規模拡大し、生産性を向上させる。最低賃金を引き上げる。国際金融センターを作る。農業を高級輸出産業にし、観光立国を目指す等々。

本来、コロナ禍で総需要が失われ、たくさんの人が失業者や休業者になり、多くの設備や店舗が遊休している現実こそ、まず経済政策がなんとかしなければならないものである。民衆の中に購買力を作り出し、感染リスクの中で人々の生活を直接に支えてきたエッセンシャルワーカーやその事業者こそ報われるインセンティブを作らなければならない。そうして身近なコミュニティから経済を底上げしなければならない。そのためには何をしなければならないか。それこそが問われていたはずなのに、この演説では全く考えられていない。そのような経済は政府にとっては淘汰の対象なのだから当然である。

相次ぐ支援策の打ち切り、縮小

その後、コロナ感染流行の第四波に向けて突入していく中で、コロナ禍の支援策の打ち切り、縮小が相次いでいる。

二一年二月一日には、納税猶予の特例制度の申請が打ち切られている。給与や事業の収入がコロナの影響で一カ月間以上にわたり前年同期に比べ二割以上減少した個人や企業が対象だった。コロナ禍はまだ続いているのに、去年と今年の二年分の税金がのしかかってくることになる。

持続化給付金は二月一五日で受付終了した。代わりに「一時支援金」なるものが導入されたが、もう五月三一日に締め切られている。四月以降のものは、今度は「月次支援金」なるものになっている。名前が変わるたびに規模は縮小し、利用しづらいものになっている。

一時支援金は、緊急事態宣言の影響で一～三月のいずれかの月の売上が前年または前々年の同月より半分以下になれば、法人六〇万円、個人事業三〇万円を上限に給付するものだった。申請前に登録確認機関の事前確認を受けなければならない仕組みになったため、個人事業者は適当な登録確認機関を見つけることができず、「事前確認難民」という言葉が生まれたと言う。

しかも、宣言地域外でも宣言の影響を受けた業者は多いが、宣言地域外ではなかなか認められない。

持続化給付金の頃から、審査や振り込みに時間がかかることが問題になっていたが、それはますます悪化している。審査の厳格化が進み、膨大な追加書類を要求されて、何をやっても不備を解消できない「不備ループ」という状況に落ち込んでいる業者が多数発生している。等々があいまって、六月一四日の「日本経済新聞」の報道によれば、一〇日までに給付できたのは、予算の二割にとどまったと言う。

月次支援金になると、第三波を上回る第四波で緊急事態宣言が出たというのに、一カ月ごとに売上が前年または前々年の同月より半分以下になったかが問題にされ、少しでも上回っていれば給付されない。一時支援金を申請した場合、給付されるまで月次支援金を申請できない。一時支援金が給付されていても、月次支援金の申請では新たな書類の提出が求められる可能性もあり、その書類を根拠に給付が認められなかった場合は、一時支援金の返金が求められることもあり得るし、それ以降の月の月次支援金の申請もできなくなるという。

さらに苦しいのは、持続化給付金と同時の二月一五日に、家賃支援給付金の受付も打ち切られていることである。事業者にとっては、休業しようが営業時間を短縮しようが、固定費として家賃がのしかかってくることになる。

そのうえ雇用調整助成金特例措置は、特に業況が厳しいところや緊急事態宣言・まん防対象地域は六月末まで延長になったが、それ以外は原則縮減されている（七月末まで延長された）。

前稿で見た通り、財政制度等審議会はじめ政府の諮問機関やシンクタンクでは、昨年を通じて執拗に、コロナ支援策打ち切りの大合唱が続いてきた。非常時の一時措置のはずの支援が恒常化すると、支援への依存を招き、「新陳代謝」や産業構造転換の妨げになると言う。要は、せっかくの淘汰のチャンスが活かせなくなってしまうというわけである。

そうすると、政府が、コロナ感染流行の高まりにもかかわらず、緊急事態宣言をグズグズと出し渋るのは、出してしまうと支援策の打ち切りをしにくくなるからだということがわかる。結局は、緊急事態宣言を出しても、上に見た通り、支援策の打ち切り・縮小は強行されているのだが、政府にとっては、縮小した形でもずるずる続くことになっているのは不本意なのだろう。だから四月二五日から出された緊急事態宣言では、とうとうこのための補正予算を立てずにすます事態になった。菅首相は前年度三〇兆円も余らせている（！）ことをその理由にしたが、そのこと自体、もともと受けにくくしていた支援の打ち切りや厳格化で、必要な支援が行き渡っていないことの表れである。

3　コロナショックドクトリン推進三法案とRCEP承認

さて、六月一六日に終わった第二〇四回国会では、補正予算も立てずに何をしていたかというと、コロナショックドクトリンを推進するために重要なことをいくつも決めていた。と言うと、国民投票法や重要土地利用規制法を思い浮かべる人が多いだろう。それも重要であることは疑いないが、世間的にはほとんど騒がれずに決まってしまったものの中に、コロナショックドクトリンを大きく進展させる重大事がいくつかある。その三つの大きな柱が、「産業競争力強化法等の一部を改正する等の法律案」「所得税法等の一部を改正する法律案」「銀行法等改正案」の三つの名前で提案された法案群である。

中小企業支援の選抜化と買収合併推進

「産業競争力強化法等の一部を改正する等の法律案」は、まさしくアトキンソン路線を実現するための法案である。そこでは「ポストコロナを見据えた中小企業の足腰の強化」と称して、中小企業が規模拡大して生産性を向上することを支援し、中小企業の海外展開を推進することが掲げられている。

前稿で紹介した「事業再構築補助金」はこのスキームの中に位置づけられる。持続化給付金の後継支援制度として打ち出されたが、申請企業に事業計画を出させて審査する仕組みで、規模拡大・「生産性」上昇、グローバル展開の方向のものを選抜支援するものである。

さらに法案では、「M&A（企業の買収・合併）を通じた規模拡大の促進」と称して、M&Aを促進するための税制優遇が提案された。

さかのぼれば、二〇年一月の「マールオンライン」なるM&A支援業者のサイトの記事で、アトキンソン氏は、「保護政策によって日本企業の九九・七％を中小企業が占めるまでになった非効率な産業構造に原因がある。大転換が不可避であり、最低賃金の引き上げ政策と中小企業の統合を促すために、会社を売って得をするM&A税制の整備が必要だ」と発言している。そしてその年の年末には、菅政権のもとで、中小企業の買収・合併を促進するための税制案が固まったことが「日本経済新聞」で報道されている。「生産性向上」に資すると認可されたら優遇される仕組みだと言う。それが正式に国会に出されたわけである。

また、この法案には、中小企業の規模を拡大するためとして「中小企業等経営強化法改正案」が含まれている。そこでは、従業員が多い（五〇〇人以上）が、資本金が三億円以下の中小企業については支援を外し、資本金は三億円以上だが、従業員が三〇〇人から五〇〇人の中小企業で、経営力向上計画の認定を受けた事業者を「特定事業者」として支援対象に新しく加えることが掲げられている。

ところがこの「特定事業者」となるためには要件が必要で、その要件のひとつに、「デュー・デリジェンス」をすることがあげられている。「デュー・デリジェンス」とは、筆者もはじめて知ったのだが、「事業承継、投資、M&A等を実施するに当たり、その対象となる企業や承継・投資先の価値やリスクを財務、法務、税務面から調査すること」とのことである。普通は、M&Aをするときに、その仲介・助言をする証券会社等が行うものである。つまり、比較的資本規模が大きめの中小企業の買収・合併をやりやすくするための環境整備だと言える。

この法案は、二一年一月の中小企業政策審議会基本問題小委員会制度設計ワーキンググループ中間報告書の、「中小企業の事業・規模拡大を支援する法律（「中小企業等経営強化法」）については、新たな支援対象類型を創設することとし、併せて、事業・規模拡大に資する一定の補助金や金融支援の対象も見直してはどうか」との提言にそっくり基づくものと思われるが、そこには、「今後、税制を具体化するための法的枠組みを整備し、中小企業のM&Aを促進するとともに、事前にデュー・デリジェンスの実施を促すような支援が必要ではないか」とあることからも、買収・合併につなげる狙いが明らかである。

所得税法等改正案と銀行法等改正案

さて、二つ目の「所得税法等の一部を改正する法律案」にも、M&Aをするときの税制優遇が掲げられている。デジタルとグリーンの関連投資へも税制優遇するとされている。

また、日本を国際金融センターにするという構想により、「高度人材」外国人が日本で死亡した場合の国外財産を相続税の対象外にする。投資運用業の役員の業績連動給与を損金算入可能にすることも掲げられている。

三つ目の「銀行法等改正案」では次のようなことが決まっている。銀行はこれまで、融資に専念すべきとされて、出資には制限があったのだが、今回、地域の中小企業に一〇〇%出資できるようになった。また、地域金融機関の合併や統合を後押しするために補助金を交付することになった。

菅首相は就任前、自民党総裁選の時の記者会見で、「地方の銀行について、将来的には数が多すぎるのではないか」「再編も一つの選択肢になる」と発言している。今回の改正はその意向に則ったものと思われる。地銀の再編と言えば、ネット金融大手のＳＢＩホールディングス（竹中平蔵氏が役員である）が島根銀行や福島銀行などに出資するという、「第四のメガバンク」構想の動きもある。証券アナリストからは「富裕層向けの証券販売に注力するあまり、預金や資金供給といった地銀の公共性が損なわれないよう留意すべきだ」と指摘する声もあるという。

地銀再編で地方銀行が事実上地域独占化し、そこが出資を通じて地方の中小企業を支配した場合、しかも銀行本体も全国的な系列下で収益重視になった場合にはなおさら、傘下の中小企業にリストラを強要するなどの事態も考えられる。

また、海外の投資ファンドが日本に参入しやすくするよう、登録手続きを簡素化する改定もなされている。

進む新帝国主義への制度整備

ところで第二〇四回国会では、「地域的な包括的経済連携協定」いわゆるＲＣＥＰが承認されている。中国、韓国も含む、東南アジア、太平洋地域の自由貿易協定とのふれこみである。

中小企業淘汰路線の背景には、日本国内市場を見限って旧来産業空洞化を厭わぬ、日本企業の海外進出、特に東南アジアへの企業の進出がある。だから、海外進出企業が安心して利益を得られるよう保護することは、コロナショックドクトリンの不可欠の一環をなす。前稿に見たように、アメリカの入らないＴＰＰで「御山の大将」になり、ＩＳＤＳ条項を使って、企業に不利な政策変更のないよう訴訟で進出先国を恫喝することはその一つの手段である。

前稿では、日本同様東南アジアへの企業進出を企図する中国や韓国と、「ショバ争い」のための対抗が企図される危険を指摘したが、わざわざリスクをおかして面と向かって軍事的に張り合うだけがその方法ではない。両国を共通のルールの中に引き込んで地域の経済秩序を共同管理できるならば、それにこしたことはないだろう。そのためのRCEPだと見るべきである。

実際この条項の中には、企業の進出先の国が、企業に技術移転を要求することを禁止する条項だとか、企業の進出先国が、本社に払うロイヤリティを規制することを禁止する条項などが含まれている。貿易協定のように見せて、一番重要な本質は投資保護協定であることに注意すべきである。

貿易について見ると、中国から日本に輸入される冷凍の野菜の総菜、枝豆、たこは、段階的に関税が下がり、発効後一一年目から一六年目に撤廃することになっている。その一方で、日本からインドネシアに輸出する牛肉の関税が段階的に撤廃されることになっている。つまり、国内農業を、民衆の生活を支えるものとしては淘汰し、高級品の輸出産業にしようという菅政権の位置づけを、そのまま絵にしたようなものである。

RCEPが調印された時、アジア太平洋地域の国際的な労働組合の連合が抗議の声明を出している。そこでは目立つところではざっと次のような批判がなされている（大石あきこ氏のブログに以下の和訳がある）。

・交渉過程が密室である。

・知的財産保護規定によって、途上国がワクチンを使えなくなる懸念がある。
・経済モデル分析したら、関税撤廃の便益は途上国にはほとんどない。
・公共財であるべき食糧が、多国籍企業の手で商業化される。
・労働者が底辺への競争におかれる。
・公益のために政府が規制を導入することが妨げられてしまう。

なお、先述の今国会で成立した「銀行法等改正案」の中にも、「海外で稼ぐ力の強化」と明言して、地域帝国主義の推進を念頭においたものが見られる。例えば、右にも述べたとおり、これまでは銀行は他業態の企業を出資で支配することはできなかった。海外でもそうだった。それが今回、買収した外国金融機関の子会社はそのまま保有していていいことになった。リース業や貸金業を主として営む外国会社の迅速な買収もできるようになった。

以上見たように、前稿以降、コロナショックドクトリンと地域帝国主義への道は、いっそう着実に進展していることがわかる。

筆者は、昨年三月に東京財団政策研究所の提言を目にして以来、本書シリーズの前二稿や冒頭示した拙著のほか、講演や新聞原稿、インタビューなど、声がかかるたびにすべての機会を通じてこのことについて警鐘を鳴らしてきた。しかし、事柄の重大さに比較してほとんど反対の声が広がらないことに日に日に焦燥(しょうそう)を感じている。

この道の先にあるのは、東南アジアからの搾取で大資本はもうかるが、国内産業は空洞化して富裕層ビジネスばかりが繁盛し、多くの人たちは海外からの激安輸入品でかろうじて生きるというスカスカの格差社会である。リベラル野党のリーダーや論客には、目前の勝利で背負う責任を恐れ、いつか経済が破綻したあとで自分たちの出番がくる日を待望するきらいが感じられるが、そんな日はこないし、万一破綻がきたら台頭するのは極右だというのが歴史の常である。この体制は、人口減少などの今日的環境へのひとつの合理的適応なのだから、いったんできあがると破綻せずに持続する。コロナ禍下での淘汰にたくさんの人たちが目の前で苦しんでいる今これを止めないと、そうそう容易にひっくり返すことはできなくなる。

だというのに、国会でRCEP承認に反対したのは共産党とれいわ新選組だけである。「銀行法等改正案」も同じである。「産業競争力強化法等の一部を改正する法律案」も反対したのは共産党とれいわ新選組と沖縄の風だけである。なんという危機感の薄さだろうか。

4 「大きな政府」への世界的転換と経産省の新路線

コロナ対策をきっかけに世界で巨額の財政支出

さて、日本ではコロナ禍が新自由主義を徹底する転換に利用される一方で、世界ではコロナ禍をきっかけに新自由主義からの大転換が進んでいる。コロナ経済対策としての追加的な財政支出・減税の規模は、GDP比にして、四分の一余りのアメリカを筆頭に、ニュージーランドの一九・三%ほか主要英連邦諸国の一〇%台半ばの数字が続く(日本もそのグループと同程度になっているが、水増しがあるうえ、前述のとおり巨額の未執行がある)。緊縮の総本山だったドイツでも一〇・〇%である。現実に強いられて、巨額の財政支出をするのが当たり前の状態になっている。

特にアメリカのバイデン政権の経済政策は刮目(かつもく)に値する。

すでにトランプ政権のころから、第三弾の二・二兆ドルはじめ五弾にわたるコロナ経済対策が出されていて、連邦債務はGDP比で一二〇%を超え、第二次大戦直後を超えて史上最大になっていた。ところがバイデン氏はそれを批判するどころかさらなる支出を約束して政権につき、さっそく一・九兆ドルの「米国救済計画」が決定された。ここには有名な、年収八〇〇万円以下に対する一人一五万円の給付が含まれている。

さらに同政権は、物的インフラや研究開発への投資である「米国雇用計画」に一〇年間で二・二兆ドル、「人的インフラへの投資」と称した貧困者・労働者対策や教育支援である「米国家族計画」に一〇年間で一・八兆ドルという大型財政支出を発表している。

アメリカの中央銀行であるFRB(米連邦準備制度理事会)のジェローム・パウエル議長は、現在とられている政策を「高圧経済政策」と称している。大規模な財政政策と、一時的にインフレ目標値を上回ることを辞さない金融緩和の組み合わせによって、経済の過熱をしばらく容認し、雇用の本格改善をめざす政策のことである。

もちろん当面の「財源」は国債発行である。「責任ある連邦予算委員会」試算では、一・九兆ドルの「米国救済計画」が加わったことで、二一年度の財政赤字は、日本の国家予算まるまると同じぐらいの一・一兆ドルが当初見込みより拡大することになっている。

しかしバイデン政策の新自由主義からの転換をさらに示しているのは、大企業や富裕層への増税を計画していることである。しかも、企業のグローバル化を逆転させる志向が見られる。法人所得税増税（二一％→二八％）、多国籍企業の海外収益に課税強化、雇用を海外移転する企業への税控除廃止と国内回帰する企業への税控除、所得税の累進強化、富裕層のキャピタルゲインへの課税の引き上げ等々のメニューが並んでいる。先日のG７では、企業の課税逃れを食い止めるために、世界的な最低法人税率一五％を定めることも合意された。

経済政策論の主流が大きな政府論へ

もともとこのような積極的な財政金融政策を主張する経済学者は、ＭＭＴ派や信用創造批判派のような異端扱いされる学派か、主流派でもアメリカではかなり左派・傍流扱いされるポール・クルーグマン教授やジョセフ・スティグリッツ教授のようなケインジアンだった。だから、それを掲げる政治勢力も、はみ出しもの扱いの左右のポピュリストたちだった。

ところが、トランプ前大統領のような——安倍前首相もそうだが——右派ポピュリストが、結局新自由主義から片足を抜け出すことができなかった中で、今やもっと主流派がそれを乗り越えてパラダイム転換しているのである。

すでにコロナ前から、学界主流派の大物で元ＩＭＦチーフエコノミストのオリビエ・ブランシャール元ＭＩＴ教授が、日本の公的債務のコストは小さく、財政出動による経済刺激効果は極めて大きく、消費増税はすべきではないと言い出して物議を醸していた。彼はＩＭＦで、ギリシャ危機でのＩＭＦの対応を自己批判する検証を行い、多くの先進国のように金利が成長率よりも低いケースでは、公共投資を手控えるべきではないと主張するようになったのだ。

コロナ禍に入ってからはそうした「転向」が相次いでおり、イエレン財務長官（元カリフォルニア大教授）やパウエルＦＲＢ議長のような当事者が現状のもとでの公的債務の無害性を言うばかりではなく、一・九兆ドルのコロナ対策自体は過大とみなすローレンス・サマーズ元財務長官（元ハーバード大学長）も、財政支出の拡大の必要性と公的債務の無害性自体は主張するようになっていた。今やアメリカでは、下院の予算委員長がＭＭＴ派の著作への賛同を公言している。

何より象徴的なのは、かつて世界に緊縮を強制して、いたるところで社会を破壊してきたＩＭＦが、まったく逆のことを言い出していることである。二一年一月一五日、ＩＭＦのゲオルギエワ専務理事が、ロシアで開かれたフォーラムで「最大限お金を使い、さらにもう一段支出を増やすように求める」「経済崩壊を防ぐための緩和的な金融政策と財政政策を引き続き主張する」と述べたのだ。二月にはコロナ危機が終わるまでアメリカは財政支援を続けるべきとして、一・九兆ドルのバイデン政策を支持した。四月にはユーロ圏に対して、ＧＤＰ三％程度の追加財政支出を求めた。

そして先日のＧ７では、経済回復のための財政による雇用の支援や景気刺激の継続が合意された。

サプライチェーンが国内回帰した製造業強化のための大規模財政支出

そんな中、経産省が新路線を提起している。

「経済産業政策の新機軸～新たな産業政策への挑戦」と称するレポートで、六月四日の第二八回産業構造審議会総会で討議されているものである。そこでは、米バイデン政策はじめ、ＥＵや中国の「大規模な政府支出を伴う強力な産業政策」と、それを正当化する英米の何人もの経済学者の学術論議を研究している。そして、新自由主義に替わる経済政策を提唱しているのである。


そこで打ち出されているのは、サプライチェーンを国内回帰させた、国際競争力ある国内製造業のための財政支出である。特に半導体が取り上げられている。半導体などの国内サプライチェーンの強靱化は、このかんのコロナ禍での供給途絶の教訓をふまえ、世界的に言われていることで、後日のＧ７でも合意されている。その議論を取り入れたものだが、国内に残す分野として、高級ホテルやカジノや金融を夢想する菅・アトキンソン路線と比較すると、ずいぶん「ド直球」の印象がする。

そして、これでマイルドなインフレを実現することは、成長のため重要で、財政収支が悪化しても、低金利下ではそのコストは小さいと、さっそく新しい世界標準の説と同じことを言っている。

経産省は安倍政権成立時ようやく官邸をリードできるようになったが、同政権の終わり頃は財務省が盛り返し、菅政権は完全に財務省に官邸が牛耳られてしまった。これに対する経産省側の巻き返し策という一面があるだろう。

これは、経済政策の世界的時代転換に、最大限財界側の利益にそって適応しようとするものだと思われる。それゆえ、大枠での帝国主義化などに違いはないだろうし、国内回帰を安全保障、中国脅威論とからめる論法には注意しなければならない。また、従来の財務省＝東京財団＝アトキンソン路線と正面から対決するのではなく、デジタル・グリーンの財政集中先のひとつと称して押し込むだろう。そしていくつかの戦略的に重要とされた製造業が、財政投入先として選ばれるのが妥協点となり、多くはやはり淘汰の対象になってしまうだろう。

ともに六月一八日に発表された、成長戦略会議の「成長戦略実行計画」と、政府の二一の「骨太方針」とは、ほぼ同じ内容だが、従来の路線が経産省路線に少し譲った当面の落とし所と言える。あいかわらず、中小企業の規模拡大・国際展開への支援、中小企業のM＆A推進、国際金融センター化、農業の輸出産業化を掲げるが、製造業の国内サプライチェーン強靭化も打ち出されている。財政問題については、「経済あっての財政」で、デフレ脱却に全力をあげるとしながら、プライマリーバランス黒字化目標は堅持し、二二年から三年間従来同様の歳出抑制をすると言う、両論併記的なものになっている。

しかし、経産省路線は、財務省＝東京財団＝アトキンソン路線とは逆に、円安を志向するだろう。コロナショック後円高が進行したが、今年に入って、アメリカの強い景気回復予想によるアメリカの金利上昇から、一転円安が進み、コロナ前の水準を超えるまで戻している。よって今後バイデン景気が本格化すると対米輸出が増えて、日本の景気もとりあえず回復すると見込まれる。淘汰路線含みのコロナ無策で内需は焼け野原なので、世界的に言われている格差のある回復「K字回復」は、日本にこそ最もあてはまることになるだろう。しかし、経産省路線にとっては輸出拡大による一定の「成功」は追い風となるだろう。

自民党、国民民主党の積極財政派はこの経産省路線に乗るだろう。近年「維新は緊縮というイメージが足をひっぱっている」と自己分析して積極財政にイメージチェンジを図っている維新の会は、まるごと乗っかってくる可能性がある。もしそうしたら手強いことになるだろう。

経済政策の世界的転換を民衆のために

私たちは、東京財団＝アトキンソン路線と新産業政策路線の双方に対抗し、経済政策の世界的時代転換に、最大限労働者・大衆側の利益にそって適応することで、コロナ禍で苦しむ民衆の願いに応えなければならない。

東京商工リサーチによれば、二〇二〇年に休廃業・解散した企業は、二〇〇〇年の調査開始後最多を記録したと言う。この中には、やめたくないのにやめざるを得なかった事実上の倒産は多いと思われるが、あからさまな倒産はこれまでの政府の支援策もあって、なんとか拡大が抑えられてきた。しかし、同社が六月初めに行った第2回「過剰債務に関するアンケート」調査では、中小企業の三社に一社が過剰債務を抱えている。「過剰」の要因は、金融債務だけでなく、人件費や家賃、税金・社会保険料、保証債務、不利な取引条件・契約など多岐にわたったとのことである。納税猶予や家賃支援給付金の打ち切りなどの政府の支援策の停止・縮小によって、今後あからさまな倒産も増加することが懸念される。

そして、総務省『労働力調査』の五月の完全失業率はとうとう三％に再突入した。完全失業者は一六カ月連続で、前年の同じ月よりも増加している。今後輸出の拡大と総選挙前の景気対策で、多少の雇用の増大はみられようが、そこから取り残された分野では、何もしなければ、倒産・失職の危機に見舞われる人々が多発するだろう。生業や雇用を守りたい人々の声、安定した職を求める人々の声にどう応えていけるかが、総選挙に勝利し、コロナショックドクトリンと新帝国主義への道にストップをかけるための鍵を握るだろう。

（二〇二一年七月三日）

※中京民主商工会事務局の鈴木宏介さんから、資料のご提供をいただいたことを記して感謝します。

［東アジア］

コロナ禍と東アジア（ポスト）冷戦 3

──歴史のインデックスと現在時

丸川哲史

丸川哲史（マルカワ・テツシ）

一九六三年、和歌山県生まれ。一橋大学大学院言語社会研究科博士号取得。現在、明治大学政治経済学部兼教養デザイン研究科教員。専攻は、日本文学評論、東アジア現代思想史。著書に、『台湾、ポストコロニアルの身体』（青土社）、『リージョナリズム』（岩波書店）、『帝国の亡霊』（青土社）、『竹内好』（河出ブックス）、『台湾ナショナリズム』（講談社選書メチエ）、『中国ナショナリズム』（法律文化社）、『魯迅出門』（インスクリプト）、『思想課題としての現代中国』（平凡社）など。

はじめに――オリンピックの廃墟から

本稿も含む『定点観測　新型コロナウイルスと私たちの社会 二〇二一年前半』が刊行されているころ、私たちが見ている世界の風景は、おそらく一つの焦点へと収斂されているだろう。コロナパンデミックとオリンピックが折り重なり、金儲け主義の権化たるIOCと日本政治のグロテスクな結合がもたらした災いが露わになる時間である。それはまた、ここ二年間に蓄積された政治と医学にかかわる問題性の一挙的現前そのものでもある。いずれにせよ、新型コロナウイルス（COVID-19　以下、新型コロナ）のコロナの「火」により、五大陸の結合を表したオリンピックのロゴマークが焼けこげ、むなしくその空虚を晒す――そのような夢の「廃墟」が仄見えている。かといって、筆者自身は、新型コロナを人類の敵として表象したいのではない。つまり、今次のコロナ禍によって、一九八四年のロス五輪から際立ち始めた商業オリンピックの趨勢が一つのサイクルを終えようとするのであり、だから新型コロナは先ほど述べたオリンピックの廃墟を見下ろす「歴史の天使」（W・ベンヤミン）と見立てることもできる。そこからまた私たちに見え始めるのは、これまでの近代文明が打ち立てた多くの既成の価値観が前のめりで崩れていく様相だが、それこそが人類にとっての起死回生の合図なのかもしれない。極端な言い方になってしまったが、それ以外の「未来」はほとんど表象不可能だ。

つまり私はこのコロナ禍に際して、それを逆説的な意味で人類にとっての吉兆としても見たいのだ。しかし、東アジアの未来はある種、独特の様相も示している。たとえば、これまでコロナ防疫に成功した「優等生」と見られていた台湾においても、ワクチン不足に起因し、感染爆発が引き起こされている。そこで見たのは、オリンピックの準備の最中、日本国内こそワクチン接種がままならないにもかかわらず、奇妙にも外側へワクチンを贈与するなど、凡そ不可思議な政治選択である。さらにその後、中国への封じ込めに資する国家としてベトナムへの供与にも向かった。いずれにせよ、既に日本社会は、異様な政治選択を異様なこととして感じるセンスそのものが崩壊しているのだろう。大観的に見れば、日本政府による外へのワクチンの供与は、明らかに、米国による中国包囲の方針の一環を担いだ行動である。それは、後期トランプ政権が決めた米中対立を基調として、それを受け継いだバイデン政権の外交軌道に沿った政治行動である。

このような日本政府の極端な対米従属姿勢は、今に始まったものではないにしても、米中の間に挟まれた日本の外交行動、それと中国が示した姿勢には奇妙なギャップがあった。(政府関係ではなく)西側の主要メディアが多く、東京オリンピックの中止や延期の論を張る中で、米国政府、G7以外で最も五輪実施を支持していた国が中国であった。もちろんここには、冬季五輪を控えた中国政府の選択的パフォーマンスが含まれている。中国政府は西側諸国による、ウイグル自治区や香港行政特別区の「人権問題」を梃子(てこ)とした外交によって、やはり幾ばくか追い込まれた様相を見せている。

その一方で、台湾政府は、日本からのワクチン贈与に「感謝」を示しながらも、早々と野球チームの東京五輪への参加を見送っていた。そして韓国政府は、六月段階では、東京オリンピックに対して目立った論評は控えているものの、今次の東京大会に対して低い支持率を示した世論調査の結果に反応しない、という形をとって一つの「態度」を指し示しているようにも観察された。

韓国防疫の成功、その背後にあるもの（再考）

韓国は感染対策について、これまでのところＰＣＲ検査の充実の点でも、その後のワクチンを普及させる対策にしても、東アジアの中で極めて模範的な事例を示し続けていたが、日本の政府筋において、この韓国に学ぼうとする姿勢はほとんど見られなかった。そこでこれまで筆者が『定点観測 新型コロナウイルスと私たちの社会 二〇二〇年前半』に書いたものも振り返り、考え直してみたい点を以下に記してみたい。

一年前に書いたのは、台湾と同様にして韓国は、高度なＩＴ技術の活用と冷戦期に発達した防諜を旨とした住民管理が結び合わされたところで効率的な防疫体制の構築に成功した、という筆者なりの分析であった。しかしこれだけの考察では足りないのではないか、と思いあたった。その切っ掛けとなったのが、本年の前半期、三・一独立運動を記念した文大統領による三・一節演説である。上記の「ＩＴ技術＋住民管理」の構図とは別の観点とは、例えば以下のような文大統領の植民地時代からの歴史的伝統のフェイズの強調である。（以下はいずれも「聯合ニュース」〔日本語版〕二〇二一年三月一日からの引用）

三・一独立運動の先駆けとなったのは民族の指導者たちでしたが、いかなる弾圧にも屈せず、全国的な万歳運動にまで発展させたのは、ごく平凡な普通の人々でした。今日、他の人たちのために毎朝マスクを着用する国民の日常とソーシャルディスタンスを実践する国民の心の奥深くにも、国難克服を目指し一丸となった三・一独立運動の精神が息づいていると思います。隣人のために忍耐強く献身してこられた国民の皆様と、今この瞬間も、隔離病棟で働いている医療従事者の皆様のご努力により、コロナ禍との長きにわたる戦いも、ようやく終わりが見え始めてきました。

韓国の防疫努力の歴史的背景として三・一独立運動を取り上げているわけだが、決してこじつけとは言えない。というのは、一九一九年の前年まで朝鮮半島（及び日本も含む世界全体）は、いわゆる「スペイン風邪（かぜ）」の流行により、多大なる死者を出す厄災に見舞われていた。この厄災こそ、一九一九年の三・一独立運動の発生の要因の一つでもあるのだが、その三・一運動の翌年、朝鮮半島はまたコレラの大流行にも見舞われ、人々はそれへの対応に追われた。この「スペイン風邪流行」→「三・一独立運動」→「コレラ防疫活動」のプロセスは、朝鮮半島において重要な歴史的軌跡であり、文演説はこの史脈を思い起こさせてくれた。文演説はさらに、以下のように述べていた。

日帝は植民地の民衆を伝染病から守れませんでした。防疫と衛生を口実に、強制的な国勢調査や例外なき隔離措置が頻発され、一九二〇年当時は、医師一人当たりが請け負わねばならない人口が一万七千人にも上っていました。こうした過酷な医療環境の中、医学生たちは三・一独立運動に最も積極的に参加しました。

京城医学専門学校やセブランス医学専門学校の学生たちがタプコル公園の万歳運動を主導し、セブランス病院の看護師やセブランス医学専門学校の看護部学生も包帯を手に街に飛び出し、万歳運動に参加しました。逮捕者のうち最も多かったのは、京城医学専門学校の学生たちでした。家族と隣人、そして共同体の命を守り抜いた存在は、三・一独立運動によって目覚めたわれわれ国民自身でした。

大韓民国臨時政府が発足するや、医療従事者たちは独立運動で弾圧を受けている民族の救護活動を行うべく、上海で大韓赤十字会を立ち上げる一方で、一九二〇年には「赤十字看護員養成所」を設立し、独立軍を治療する看護師の育成に取り組みました。コレラが流行し始めると、全国各地の青年や学生たちは青年防疫団を組織し、無料予防接種や消毒などの防疫活動を行い、多大な評価を受けました。

（中略）

今日のコロナ禍状況の観点から見ますと、自力で患者の治療に力を尽くし、自力で医療システム整備に取り組んだ先達の努力には、大きく心を動かされます。

こういった文演説の志向性と内容は、やはり政権党が保守の側であってみれば成立しなかったものと見做(みな)せよう。韓国の民主化を担った進歩派の歴史的な源は、三・一独立運動にあるからだ。一方、この側面との関係から見て、いわゆる韓国の保守派とは、概ね隠れ「親日派」であることが韓国内での秘かな定説である。

さて、韓国におけるこの間の防疫体制の充実の歴史的背景にもう一つ付け加えるべきなのは、二〇〇八年、米国がゴリ押しせんとしたオレンジ・牛肉「自由化」への反対の意思表明、二万人もの参加があったロウソク革命の事績であろう。韓国の防疫体制の成功は、決して国家システムの進歩性（IT技術＋住民管理）だけに縮約されるものではなく、下からの、草の根からの立ち上がりというものも大きな前提となっている。これは私も含め、日本の論者が見逃していたところではないだろうか。

さらにもう一年遡ったところの、二〇二〇年の文大統領の三・一節演説を見てみよう。とくに被害の大きかった大邱を中心とした地域の活動に言及している。（以下は「聯合ニュース」〔日本語版〕ソウル二〇二〇年三月一日からの引用）

苦しみを分かち合い希望を育んでくださいました皆様に深い尊敬と感謝の拍手をお送りいたします。とくに大邱・慶尚北道地域に送られる持続的な応援と温かい支援こそ大韓民国の底力です。

全国から派遣された二百五十人以上の公衆衛生医師だけでなく自主的に集まった医療ボランティアの方々がご自分の健康を顧みず大邱・慶尚北道地域を守り、多くの企業と個人から義援金品が送られています。大邱・慶尚北道は決して独りではありません。大邱市と慶尚北道と共に、政府は専用診療所と診断検査の拡大、病床確保や治療はもちろん、さらなる拡散を遮断するため最善の努力を払っています。

より多くの国民が力を集めてくださることと信じており、必ずウイルスの勢いをくじく成果を収めるものと確信しています。

政府は危機警報を最高段階の「深刻」に引上げて全方位で対応しています。また「非常経済状況」という認識を持って経済の活力を取り戻すことにも全力を尽くしています。小規模事業者・中小企業、観光・外食産業、航空・海運業などを対象に業種に合わせた支援を開始し、さらに強力な被害克服のための支援と共に国民生活・経済の安定、経済活力の向上に向けた前例のない方策を盛り込んだ「新型コロナウイルス克服の国民生活・経済総合対策」も速やかに実行します。そのために予備費を積極的に利用し、補正予算を速やかに編成して国会に提出します。国会でも与野党を問わず大局的に協力してくださることになりました。われわれ全員が「防疫主体」です。

韓国内の一つの前提を言えば、二〇〇八年のロウソク革命こそ、文政権の誕生を促した起点に位置するものである。当時のスローガンで耳に残っているのは、保守派政権に対する「これが国なのか?」という直截な表現であった。ここから韓国社会の中で、特に知識公共圏の中で強く意識化されることになったのは、「国家の民主化」という合言葉であった。すなわち、韓国の防疫体制の構築は、「国家の民主化」を掲げた政権への信頼がなければ決して生じなかったことである。

しかしながら、二〇二一年に入り、文政権は世界でも有数の新型コロナ防疫体制を敷いた名誉を得つつも、主に不動産価格の安定化に関する政策の失敗があり、国民からの批判と反発を受けている。そのため、次の大統領選挙は、現時点ではこの文政権の失敗から、保守派がその地位を奪還する予想もなされている。これとも連動して、内外のプレッシャーを受け、韓国政府の対北政策も停滞を余儀なくされ、今後の韓国政治のあり様はまたもや混沌としている。

しかしながら、長期的な観点からすれば、韓国が果たした防疫体制の構築の成功には、ロウソク革命からの韓国社会全体の基調となった「国家の民主化」が響いていることは間違いない。上からの防疫体制の構築に下からのエネルギーが呼応し合流し得た事績――この韓国の事例を参照とすれば、まさになぜ日本社会が韓国のような防疫体制の構築に失敗し続けているかの要因がより明確になるだろう。

米中対立、及び東アジアの不透明な現在

東アジアの不透明な現在を構成しているのは、紛れもなく米中対立であり、それは中華圏周辺部の香港や台湾における「反中国」の情動反応にも確実に連動してしまっている。国際政治学者によって「新冷戦」とも名付けられている現象の招来である。表面上と言うべきか、現象として旧「冷戦」の再来と見做されがちであるが、そもそも東アジアにおいて「冷戦」は終わっていない。台湾当局と北京政府との対立、朝鮮戦争を起点とする朝鮮半島の分断状況（停

戦状態）は、明確に終わったわけではないのだから。では、国際政治学者が冷戦に「新」を付けたがる動機とは何なのか。実は、かつての「冷戦」と今次の「新」冷戦なるものの間にある変動こそが問題なのである。私なりの結論を言えば、かつての冷戦を引きずったまま、「中国の台頭」に焦点化する世界資本主義システムの構造変動が深く進行していることである。この「現在時」を反映した国際政治上の対立と矛盾を表しているのが、たとえば、「中国包囲網」の確立のため三月一二日に開かれた日米豪印によるクワッド首脳会議であり、さらにその枠組みを引き継いで四月一六日に開かれた日米首脳会談である。そこで提出された日米共同声明「新たな時代における日米グローバル・パートナーシップ」を見てみよう。

この共同声明において、初めて台湾に関する「安全保障」が文言として組み込まれ、北京政府の大きな反発を呼び起こしたことはまだ記憶の中にあるだろう。ただ、その文言の口調そのものは、わずかに「台湾海峡の平和と安定」とあるように、実のところ極めて低調なものであり、おずおずと書き込んだ、との印象もある。ただここでも興味深いのは、この声明の中においても、コロナ禍が重大な政治関数として書き込まれている事態である。

二〇二一年三月十二日の史上初の日米豪印（クアッド）首脳会議において、日米両国は、多国間の取組を補完するため、インド太平洋地域への安全で有効な新型コロナウイルス・ワクチンの製造、調達及び配送を拡大することを目的とした、日米豪印（クアッド）ワクチン専門家作業部会を立ち上げた。新型コロナウイルス感染症に対処する中で、日米両国は、次

> のパンデミックに備え、グローバルな健康安全保障（ヘルスセキュリティ）やグローバルヘルスに関する二国間の官民協力も強化しなければならない。
>
> 日米両国は、潜在的な衛生上の緊急事態の早期かつ効果的な予防、探知及び対処を通じてパンデミックを防ぐ能力を強化するとともに、透明性を高め、不当な影響を受けないことを確保することによって世界保健機関（ＷＨＯ）を改革するために協働する。
>
> 日米両国はまた、新型コロナウイルスの起源、あるいは将来の起源不明の感染症の検証に関する、干渉や不当な影響を受けない、透明で独立した評価及び分析を支持する。
>
> 日米両国は、インド太平洋がより良い地域的なパンデミックへの備えを構築することを支援するために決定的な行動を取ることを決意するとともに、世界健康安全保障アジェンダといった既存のイニシアティブを通じたものや健康安全保障のためのファイナンシングのメカニズム、地域的なサージ・キャパシティ及び迅速な対応のためのトリガーについて連携する新たなパートナーシップを通じたものを含め、感染症の発生を予防・探知・対処するための全ての国の能力を構築するために両国及び多国間で協働する。

すなわち、本稿の冒頭で示したところの、日本からの台湾へ（さらにベトナムへ）のワクチン供与は、明らかにこの文脈、つまり「中国包囲」の戦略に依っているという事実である。

新型コロナと東アジアにおいて引きずられている「冷戦」は今、「中国の台頭」を主要な震源と想定される世界資本主義の構造変動の最中において、例えば右に引用した声明に見られるように「健康安全保障（ヘルスセキュリティー）」という新造語をもたらした。パンデミックが作り出したこのような造語の登場が暗示するのは、すなわち国際政治の中に強く医学的要素が入ったことであり、逆から言えば、医学というジャンルが政治的な要素を帯びて立ち現れていることである。

そこで世界的な言論状況の推移を振り返ってみると、NHKなどがフィーチャーしたユヴァル・ノア・ハラリ（イスラエル）のパフォーマンスに対して、端的に多く失望感が示された。彼の議論は、『サピエンス全史』や『ホモ・デウス』（いずれも河出書房新社）で明らかにしたように、戦争・飢餓・病気を克服した人間がAI技術の伸長によって直面せざるを得ない形而上学的な問い、人間の存在意義を考察するものであった。しかし「病気」は、端的に言って克服されていなかったのだ。元より、凄まじい勢いでワクチンを普及させる一方、ガザ地区の民間人にミサイルを撃ち込むイスラエル国家――そのイスラエル人ハラリが提示した舞台設定は果たして、コロナ防疫にとって民主主義体制が有効なのか、それとも専制主義体制が有効なのかといった、古い枠組みであった。イスラエル国家こそ、大量殺戮と同時にワクチンの大規模高速度摂取を実現した生政治（M・フーコー）の権化のような国家である。イスラエルこそ、先に述べた政治の医学化（医学の政治化）が極端に進んだ怪物的モデルなのであり、それへの分析を素通りしたハラリの立論は、やはり我々に白々しい空気をもたらさざるを得なかった。

結びにかえて

さて、本年前半期において垣間見られた菅義偉（よしひで）政権中枢と新型コロナウイルス感染対策分科会（尾身茂氏を中心としたメンバー）との軋轢（あつれき）はまさに、政治の医学化あるいは医学の政治化というフェイズの露呈を強く指し示したと言える。ある意味で、そこにおいてこそパンデミック後の新たな「政治」が生じているようにも見える。それは、単に専門家に任せればよい、ということではない。むしろ私たち自身が医学を新たな「政治」を作るための領域や武器として介入することである。そこから、安部政権↓菅政権と続いた政治的公共圏の「私的乗っ取り」に対して抗う「政治」の可能性が展望できるはずだ。

すなわち、この「政治」とは、先に述べた（韓国において課題化した）「国家の民主化」を推し進める働きに他ならない。コロナ禍を被った日本社会において「民主」の機運が目覚めるとすれば、このポイントであろう。それは以前、二〇一一年の福島第一原子力発電所爆発事件において芽生えかけ、「集団安保法制」反対の街頭運動において一つの爪痕（つめあと）を残していたものである。しかしまたそれは、単に自民党とは別の政党が政権党になればよい、といった政党任せのことでもない。

いずれにせよ、その課題「国家の民主化」に向けた実践は、より深く、複雑なものである。それは、街頭に集まることが難しくなっているからでもある。この「冬」の時期、街頭には集まれなくても、しかし、街頭に集まることに似た行動はいくらでもあるだろうし、あった。PCR検査・ワクチンにかかわるネット上の議論、東京オリンピックを祝賀資本主義として批判する抗議行動、日本の入管体制の実態を暴き批判するドキュメンタリー運動等々。人々が容易に集まれなくなった現在、人々は集まれること自体の貴重さを実感し始めているのであり、また街頭に集まれない欠如を補うための様々な工夫を潜在的に始めている。

コロナ禍の様相がどのように推移するのかはまだ不確定ではある。これから始まるポストコロナの時代に重ね合わされるのはまた、オリンピックの廃墟の上に見通されるべきポストオリンピックの時代である。それは端的に、祝賀資本主義の終わりの始まりとして展望されるであろう。それは、改めて別の文脈から五大陸の結合を考え始めるための何らかの切っ掛け、あるいは合図となるはずだが、そこにおいてこそ東アジアにおける平和の実践は欠かせない。

本稿で述べたように、目下の東アジアは、旧来の冷戦構造の上に新たな世界資本主義の構造的変動が重なる、複雑な力関係を帯びた地域となっている。この徴候として、サミット会議（六月一三日）でのG7の性格も明確化して来た。第一に先進国クラブとして、無謀にも東京オリンピック開催に「お墨付き」を与え、さらに「台湾海峡の平和と安定」を謳い、「中国包囲」の旗色を鮮明にした。これまで諸外国の外交原則としてあった「一つの中国論」の空洞化を目指しているようだが、これが将来における大きな禍根に繋がらないことを祈るばかりである。二一世紀最も豊かであり、かつまた最も矛盾の大きいこの地域の平和こそ、全世界の平和に通じる道行きを指し示す、未来のための実験場なのである。

（二〇二一年六月二二日）

［日本社会］

甘ったるくてポエジーで楽観的な未来への視点を修正する

森 達也

森達也（モリ・タツヤ）

一九五六年、広島県呉市生まれ。映画監督、作家、明治大学特任教授。テレビ番組制作会社を経て独立。九八年、オウム真理教を描いたドキュメンタリー映画『A』を公開。二〇〇一年、続編『A2』が山形国際ドキュメンタリー映画祭で特別賞・市民賞を受賞。佐村河内守のゴーストライター問題を追った一六年の映画『FAKE』、「東京新聞」の記者・望月衣塑子を密着取材した一九年の映画『i－新聞記者ドキュメント－』が話題に。一〇年に刊行した『A3』（集英社文庫）で講談社ノンフィクション賞。著書に、『放送禁止歌』（光文社知恵の森文庫）、『「A」マスコミが報道しなかったオウムの素顔』、『職業欄はエスパー』（角川文庫）、『A2』（現代書館）、『ご臨終メディア』（集英社）、『死刑』（朝日出版社）、『東京スタンピード』（毎日新聞社）、『マジョガリガリ』（エフエム東京）、『神さまってなに?』（河出書房新社）、『虐殺のスイッチ』（出版芸術社）、『フェイクニュースがあふれる世界に生きる君たちへ』（ミツイパブリッシング）、『U相模原に現れた世界の憂鬱な断面』（講談社現代新書）など多数。

ウイルスに境界はない

周回遅れにも程があると我ながら思うけれど、今ごろになってウイルスと生きものの違いについて考えた。まずは大きさ。ウイルスの大きさは〇・〇二〜〇・三マイクロメートル。……と数値と単位だけを言われてもぴんとこない。ざっくり言って一般的な細菌の大きさはミクロ（一〇〇万分の一メートル）だが、ウイルスはナノ（一〇億分の一メートル）と思えばよい。生きものにおいては圧倒的に小さい。

ただし大きさは相対的な尺度だ。本質ではない。生きものの本質（定義）は何か。いくつかあるが最もベーシックな要素は以下の三つ。

1　代謝を行う。
2　膜（皮膚）を持って外界と自己を仕切る。
3　次世代を残す。

ならばウイルスはどうか。膜（カプシドやエンベロープ）は持っている。単独では増殖できないが、他の生きものの体内に侵入して宿主の細胞を使いながら自己を複製して次世代を作る。代謝は行わない。つまり2と3はかろうじてクリアだが1を満たさない。ウイルスが生命と非生命のあいだにあると言われる所以（ゆえん）はここにある。

まあここまでは、福岡伸一が書いてベストセラーとなった『生物と無生物のあいだ』（講談社現代新書）を読んだ人にとっては、今さらの知識だろう。でも生きものの定義をあらためて見つめながら、僕はふと気がついた。「代謝」と「膜」と「増殖」は、国家の定義にもぴたりと重複する。その内側において代謝という経済活動をくりかえし、国境によって他国とのあいだにラインを引いて自由な出入りを制限し、体内の細胞に当たる国民たちは子供を産んで自分のＤＮＡを複製する。生命の定義そのものだ。

ならばウイルスは、宿主となった生命の生存を脅かすように、宿主となった生命が帰属する国家共同体の存在をも脅かすのではないか。つまり同心円の外周への攻撃だ。

……何を当たり前のことを滔々と述べているのか、と思われるだろうか。確かにここまでの記述はレトリックだ。修辞のレベル。でも現実に符合する要素は少なくない。だからこそ僕は考えた。コロナは個々の命だけではなく国家という概念をも脅かすのだと。

『定点観測　新型コロナウイルスと私たちの社会』（以下、『定点観測』）の第一弾において、新型コロナウイルス（以下、新型コロナ）によって国境の概念は変わるかもしれないと僕は書いた。なぜなら増殖するために他の生きものを探すウイルスにとって、宗教や民族、言語の差異や国境線などの区分はまったく意味を持たない。この視点を人類の側に置けば、自分が帰属する国家というエリア内だけでウイルス対策を講じても有効性はほとんどない。自分が暮らす町で感染者が一人もいないとしても、隣町でアウトブレイクが発生しているならば、リスクはまったく軽減していない。世界も同じだ。微小なウイルスは人や物の流れとともに国境を行き来する。これが数世紀前ならば地域や国による囲い込みに多少の意味はあったかもしれないが、文字どおりのグローバリゼーションの時代を迎えた現在、ひとつの国や地域だけでウイルスを撲滅したとしても、世界的なパンデミックを止めることはほぼ不可能だ。

ならば国境は意味を失う。失うまでは至らなくても意味が変わる。『定点観測』第一弾の原稿を書きながら、僕はそんなことを考えていた。

地域や人々の分断を加速化させた新型コロナ

補足するが、これは客観的な分析などではもちろんなく、半分以上は僕の願望でもある。子供時代からずっと不思議だった。人は様々な共同体に暮らす。村があって町があって市があって県があって国があって地域がある。個を中心に置けば多重の同心円のラインで僕たちは包囲されているが、国境が持つ区分性と排他性は突出して強い。だからこそ国境を接して人の争いは絶えない。ラインをどこに引くかでいがみ合う。

僕はビザやパスポートが嫌いだ。もっと自由に出入りしたいし、暮らす場所を決めたい。だから国境が揺らぐのならそれは大歓迎。EU域内では原則的に入国審査なしに各国を自由に行き来できる。数年前にスイスのバーゼルに行ったとき、車で移動しながらいつのまにかフランスやドイツにいることに驚くと同時に、国境に勝ったような気分がしてとても爽快だった。そんなことを思いだしながら書いた『定点観測』第一弾の記述の一部を、以下に引用する。心なしか文体が弾んでいる。やっぱり自分は非国民なんだとつくづく思う。

だってウイルスを前にして一国主義は成り立たない。もちろん国境がなくなる、とまでは思っていないが、これまで大前提だった集団への帰属意識が、国から地域や世界へと拡大するかもしれない。つまり人類は新型コロナによって次の段階に進む。本当の意味のグローバリゼーションが現実となり、国民国家という概念が変わる。

……もちろんこれは妄想の延長。ならば妄想ついでにもうひとつ。群れの意味が変わるかもしれない。だって新型コロナは、まさしくクラスター（集団）を直撃する。怖いから群れる。群れるから相が変異する。でも群れを作れない。ならば人類はどうするのか。

この思いは、第一弾刊行から半年が過ぎた第二弾を書く時期になっても、ほぼ変わっていなかった。第二弾のまえがきで僕は、アーサー・C・クラークの『地球幼年期の終わり』（沼沢洽治訳、創元ＳＦ文庫）を引きながら、ウイルスの脅威を触媒にすることで幼年期のままだった人類の歴史が次の段階に進化する可能性について言及した。

少しは変わりたい。いやきっと変わる。少しだけ世界は成熟する。これもまた楽観論ではあるけれど、そう思いながら新しい年を迎える。

第二弾からさらに半年が過ぎた二〇二一年七月現在、第三弾の原稿を書きながら僕は、自分の甘ったるくてポエジーで楽観的な未来への視点を修正することを宣言しなければならない。

いわば敗北宣言。結局のところ新型コロナのパンデミックが始まってから一年半、国境の概念は変わらなかった。いや変わらないどころか、国境はその区分や分断の機能を、新型コロナ前よりも強化している。

台頭するポピュリズムとファシズム

新型コロナによるパンデミックが起きる直前である二〇一八年において、EUだけでも八つの国（オーストリア、ベルギー、デンマーク、フィンランド、イタリア、ポーランド、ハンガリー、スロバキア）の政府が、民族主義を掲げる右派政党に率いられていた。さらにこれら八つの国以外でも、フランスではマリーヌ・ル・ペンが率いる「国民連合」が最大の政治勢力のひとつとなり、ドイツでは極右政党「ドイツのための選択肢」が二〇一七年の国政選挙で一三％の票を獲得して、移民や難民に対しての寛大な政策を再考する意向を表明しなければいけない状況にメルケル首相は追い込まれた。

アメリカでは強権的なトランプ大統領が誕生し、プーチンや習近平、ボルソナーロ（ブラジル）やエルドアン（トルコ）にドゥテルテ（フィリピン）など、かつてならば独裁者と呼称されても不思議はない強権の政治リーダーたちは今も盤石の位置にいる。

つまりここ数年、極右的なイデオロギーや全体主義的な傾向に対して人々が親和性を示す傾向が、まさしくパンデミックのように世界に広がりつつあった。そしてこの潮流は、コロナ禍が世界を覆う現状においても変わっていない。むしろ強くなっている。

ＥＵ域外に目を向ければ、中国はますます覇権主義を強め、一つの中国として囲い込まれたチベット自治区や新疆（しんきょう）ウイグル自治区、そして香港は窒息しかけているし、台湾有事も絵空事ではなくなりつつある。政権は交代したがトランプによるアメリカファーストで排外主義的な政策は、今も多くのアメリカ国民から支持されている。ミャンマー国軍によるクーデターは、この国でようやく始まったばかりの民主主義を、多くの市民の命を無慈悲に道連れにしながら破壊した。ロシアやベラルーシ、ブラジルでは大統領の独裁制はさらに強化され、メディアやジャーナリストへの監視やコントロールはさらに強化され、ガザ地区に無慈悲で非対称な攻撃をくりかえして多くの市民を殺戮したイスラエルのネタニヤフ首相は退陣したが、次にはより右傾的な連立政権が発足した。

書きながら吐息が洩れる。これはもう認めるしかない。認めよう。新型コロナの時代を迎えて一年と半年が過ぎたが、結局のところ国境という概念は、一ミリも揺るがなかった。いやむしろ強化されている。

人間の不信と不和がウイルスにとっては蜜の味となる

補足するけれど、甘ったるくてポエジーで楽観的な未来への視点は、逆説的ではあるけれど、きわめて辛口でペシミスティックで悲観的な前提によって支えられている。そもそも僕はネガティブだ。事態を悪いほうに予測することは子供のころからの処世術だ。夏休み初日の朝は目が覚めると同時に、「今日から夏休みが始まるのではなく最後の日なのだ」と思うようにしていた。つまり冷たい水を自分に浴びせるのだ。運動会の短距離走では、転んでビリになる自分を想像しながら走る順番を待っていた。大学受験の際にも、志望校はすべて落ちる状況をイメージしていた。できるだけ具体的に。そのときの自分の心情を想像しながら。もしも「合格するかも」などの気持ちが何かの拍子に湧いてきたら、あわてて必死に打ち消した。そんなことはありえない。すべては裏目に出る。好転することなど万に一つもない。絶対に思うようには進まない。

なぜなら最悪の事態をイメージしておけば、実際に最悪の事態になったときのショックが小さい。そしてもしも最悪の事態を回避することができたのなら、その喜びと安堵は、期待していない分だけとても大きくなる。

要するに臆病なのだ。それは自覚している。でも仕方がない。持って生まれた性癖だ。ネガティブ思考は実際にネガティブな状態を誘因するからすべきではないと言われても、現実から裏切られて傷つくよりははるかにマシだと考えている。

そもそも新型コロナについて、僕は最初の時期には舐めていた。ネガティブなのに思慮が浅い。二〇二〇年一月下旬に開催されたフィンランドの映画祭には、招待を受けて何のためらいもなく参加している。でもそれから数カ月が過ぎたころ、これはかなり深刻な事態かもしれないと軌道を修正した僕は、自分のいつものメソッドに従いながら、もっと悲観的な状況を想定した。世紀末的なパンデミックだ。だってこの時点で、これほど早くワクチンが開発されるとは思っていなかったし、その有効性や副反応についてもネガティブに捉えていた。

だからこそ、こうした状況への反作用として、国境という概念が崩壊する未来を妄想していた。決してポジティブなのではない。ネガティブの反転だ。

同様の趣旨をユヴァル・ノア・ハラリは二〇二〇年一〇月に、『緊急提言 パンデミック：寄稿とインタビュー』（柴田裕之訳、河出書房新社）で以下のように語っている。

ウイルスとの闘いでは、人類は境界を厳重に警備する必要がある。だが、それは国どうしの境界ではない。そうではなくて、人間の世界とウイルスの領域との境界を守る必要があるのだ。地球という惑星には、無数のウイルスがひしめいており、遺伝子変異のせいで、新しいウイルスがひっきりなしに誕生している。このウイルスの領域と人間の世界を隔てている境界線は、ありとあらゆる人間の体内を通っている。もし危険なウイルスが地球上のどこであれ、この境界をどうにかして通り抜けたら、ヒトという種全体が危険にさらされる。（中略）

もしこの感染症の大流行が人間の間の不和と不信を募らせるなら、それはこのウイルスにとって最大の勝利となるだろう。人間どうしが争えば、ウイルスは倍増する。対照的に、もしこの大流行からより緊密な国際協力が生じれば、それは新型コロナウイルスに対する勝利だけではなく、将来現れるあらゆる病原体に対しての勝利ともなることだろう。

これも予測ではなく提言だが、コロナ禍によって起きる世界的な変化への見積りの想定値に大きな誤差があったことは、今のハラリも認めるだろう。現状においてワクチンの効果は絶大だ。変異株の脅威は波状的に押し寄せるが、接種率が高いアメリカやイギリス、イスラエルなどの市民たちは行きつ戻りつしつつも、日常生活をかなり取り戻している。

ファイザーやモデルナなどmRNAワクチンとアストラゼネカなどウイルスベクターワクチンは、きわめて歴史が浅いプラットフォームのワクチンだ。本来なら治験の時期はもっと長かったはずだ。言い換えれば現在、世界規模で人体を使った治験をしているともいえる。ならばもう少し後に、ワクチンの劇的な副反応が明らかになるかもしれないし、新たな変異株が猛威を振るう可能性はまったく払拭できていない。

そのリスクを想定しつつも、やはり認めねばならない。少なくとも国境という枠組みにおいて世界は、新型コロナによって再考察せねばならないほどには追い込まれなかった。むしろ強化された。それを認めたうえで今後を考えねばならない。

集団免疫をどう考えるか

時期としては二〇二〇年夏が過ぎたころ、新型コロナ対策についてＡＩは何と答えるか、との論考を読んだことがある。

ちょうどこの時期はスーパーコンピュータ（スパコン）を使いながら、飛沫（ひまつ）がどのように飛散するかなどのシュミレーションをＴＶニュースなどでよく目にしていた。観ながらきっとあなたは、人知を超えた集合知とディープラーニングと桁違いの計測ができるはずのスパコンを使いながら、なぜ飛沫のシュミレーションしかできないのかと不思議に思わなかっただろうか。僕は不思議だった。格闘技世界一決定戦で優勝した世界最強のチャンピオンを家に呼んでトイレの清掃を頼むようなものだ。なぜスパコンに根本的な新型コロナ対応策を質問しないのだろう。それには理由があるらしい。もしもＡＩに新型コロナの対応策を質問したら、答えは二つに限定されるという。

1　すべての人が家から一歩も出ない究極のロックダウンを実施する。病院やスーパーなどあらゆるインフラも閉鎖する。期間は数カ月。人に感染したウイルスは密室内で人とともに死滅する。

2　いっさい何もしないでこれまでと同じ日常を送り、感染を放置する。つまり多数の感染者によって社会的な抗体を作る「集団免疫」を目指す。

どちらも感染者には対処療法以外の治療はしない。当然多くの人が死ぬが、1と2以外の対応策をとったとしても（つまり現状だ）、1や2ほど劇的ではないが緩慢なパンデミック状態が長く続くので死ぬ人の数は変わらない。むしろ多いかもしれない。もしも1か2の選択をしていれば、人類は今ごろ新型コロナの時代を終わらせている可能性は低くない。つまり安倍晋三前首相や現在の菅義偉首相が事あるごとに唱えていた「人類が新型コロナに打ち勝った証」を手にして、東京五輪を迎えていたかもしれない。

しかし人は、1と2を選択できない。目の前で苦しむ人を放置することは難しい。ＡＩならば最小数の犠牲者を達成するためにこの手法を迷うことなく選択できるのだろうが、人はこれに耐えられない。

国民を徐々にウイルスにさらすことで集団免疫獲得（つまり2のソフトバージョン）を目指したスウェーデンの死者数は、二〇二〇年夏の時点で隣接するノルウェーやフィンランドのおよそ（人口比で）一〇倍に達していた。さすがにこれはもう無理だ。この状況に国民と政府は耐えきれず、スウェーデンは従来通りの日常を維持しながら集団免疫獲得を目指すことをあきらめた。

普通の感覚を持つ人ならば、集団免疫を獲得するためと言われても、家族や友人が感染して重症化したり絶命したりする過程に耐えられない。数字だけを見ればより多くの命を救うことになるのかもしれないが、今目の前にいる命を見殺しにすることはできない。それが近親者ならばなおさらだ。愛着や未練をデリートできるはずがない。人はそういう存在だ。ＡＩにはこれがわからない。だって情緒がない。機械的に（機械だけど）同じ結論を繰り返すばかりだ。

いずれにせよ新型コロナの終息は、人口の六～七割がワクチン接種によって免疫を獲得して集団免疫の状況を達成すれば、ほぼ現実となる。僕が甘ったるくてポエジーで楽観的な未来を夢想していた二〇二〇年夏のころは、これほど早くワクチンの開発と生産がおこなわれるとは、僕も含めて多くの人は予想していなかったはずだ。

近代五輪のそもそもの精神は国家の対抗ではない

……とここまで書いてから、まえがきの続きに戻る。僕がもし記者で、六月二日に官邸で行われた首相のぶら下がり会見に参加していて、さらに自らの出世や場の雰囲気や上司からの叱責をまったく意に介さないタイプならば、「世界に（平和を）発信する」と開催を強行する理由を壊れた機械のように繰り返す首相に対して、ならばお聞きしますが、と「さら問い」するはずだ。

五輪開催は平和を世界に発信することになるのでしょうか。一九三六年のベルリンオリンピックがナチスドイツのプロパガンダを国内外に強く発信したことは、菅首相はご存じですよね。共産圏・社会主義国では初の開催となった一九八〇年のモスクワオリンピックでは、直前にソ連がアフガニスタンに武力侵攻したことに抗議するとして、日本も含めて五〇カ国が不参加を表明しました。つまり（アメリカなど大国のエゴや思惑の是非はともかくとして）、五輪に積極的に関わらないことで平和へのアピールを示そうとした。五輪を開催するだけで平和を世界に発信できるとのお考えは、あまりに安易ではないでしょうか。

もちろん現実には、さら問いを始めて数秒で、僕は官邸スタッフから羽交い締めされているはずだ。菅首相は不愉快そうに顔を歪めるだろうし、ルールを守れと他社の記者から罵声を浴びているかもしれない。

でももし質問を続けることができるなら、僕はさらにこう言いたい。国別対抗という今の五輪のスタイルは、一九〇八年の（第四回）ロンドン大会から始まっています。これを言い換えれば、近代五輪のそもそもの精神は国家の対抗ではなかったのです。「まさに平和の祭典」と首相が本気で仰るならば、その後に続けて「東京五輪では各国のナショナリズムを刺激する国別対抗をやめることにします」くらい言えませんか。日本には年末の国民的行事として紅白歌合戦があります。だから今回は男女に分かれて競います。紅白対抗ですから、綱引きとか玉入れとか騎馬戦などの競技を今回は加えます。これこそまさしく世界の連帯。平和の祭典。……何ですか？　歌はともかくスポーツで男女対抗は無理じゃないか？　ジェンダー的にも微妙だ？　……ああ確かに。ならば東西対抗にしましょう。あるいはあみだくじで紅白を決める。各国のアスリートたちは日本の小学校の運動会で児童たちが被る赤白の布の帽子を着用させる。だって世界的なパンデミック状況で人類が初めて体験するオリンピックです。そのくらいはしてもよいのではないでしょうか。

今日の日付は七月二一日。開会式まで一週間を切った。もしもこのまま東京五輪が行われるなら、パラリンピックの開会式は八月二四日で閉会式は九月五日。つまりほぼ二カ月弱の期間、日本は五輪漬けとなる。そしてこの間にゲラチェックや入稿、印刷や製本などの過程を終えたこの『定点観測』第三弾は、九月一七日に刊行される。

つまりこの書籍を手にしているあなたは、五輪が開催されたのか中止されたのか、そしてもし開催されたのなら成功裡に終わったのか大失敗したのか、そのすべてを知っている。

このタイムラグは大きい。本来なら東京五輪については触れるべきではない。テーマは新型コロナであって五輪ではないのだ。

でもこの書籍のメインコンセプトは定点観測。同じ著者が同じ視点で新型コロナによって変わる社会を六カ月のスパンを置きながら記録する。

つまり時間の変化。書籍とは書かれたその時点で時制がフィックスするが、そうした基本的な属性に対してのアンチであり抗いの試みなのだ。定点とは場所だけではなく時制も含む。この二つは座標軸なのだ。そして変化するのは社会の側だけではなく自分もその対象になる。だから今このときを記録する。これから状況がどのように変わるのか、あるいは変わらないのか、それはまだわからないけれど、今思うことを書きとどめる。

一カ月ほど前まで、いやもっと最近まで、最終的に東京五輪は中止になるだろうと思っていた。それを言葉にすれば「いくらなんでも」。

変化するのは僕だけではない。五月の世論調査で東京五輪開催の可否について、目にするかぎりメディア各社の調査はすべて「中止すべきだ」が最多だった。こうした声を背景に、信濃毎日新聞が五月二三日の社説で「東京五輪・パラ大会　政府は中止を決断せよ」と表明し、同二五日には西日本新聞が「東京五輪・パラ　理解得られぬなら中止を」と題した社説を載せ、同二六日には五輪の公式スポンサーである朝日新聞が「夏の東京五輪　中止の決断を首相に求める」という社説を掲げた。

でも菅政権は止まらない。バスは減速しない。国会では野党議員の質問にまったく答えようとはせず、メディア記者たちの質問は黙殺しながら、アクセルを踏み続ける。

いい湯だなと鼻歌を唄っているうちに取り返しのつかない状況になってしまう

ならば国民やメディアの反発はさらに先鋭化するのか。……そう思いたけれどそうはならない。現実にカウントダウンが始まって開催回避を決めるデッドラインの渦中にいる今、開催を支持する人たちのパーセンテージが、少しずつ増えてきた。

開催が一カ月後に迫る中、東京五輪・パラリンピックをどうするのがよいか三択で聞いた。「今夏に開催」が三四％（五月は一四％）、「中止」三二％（同四三％）、「再延期」三〇％（同四〇％）と割れた。五月調査に比べ、「今夏に開催」が大きく増えた。（「朝日新聞」六月二一日付）

人が持つ過剰な馴致（じゅんち）能力を、僕は今つくづく実感している。馴致能力を言い換えれば正常性バイアス。あるいは現状への過剰な適応。いい湯だなと鼻歌を唄っているうちに取り返しのつかない状況になってしまう茹（ゆ）でガエルの法則。破滅が目の前に近づいているのに、そこから目をそらしてしまう。何とかなるさとどこかで思っている。でも同時に、このままでは危ないともどこかで思っている。どちらも意識のどこか。顕在化しない。自分を見つめない。論理で考えない。

そもそも東アジアはこの傾向が高い。なぜなら集団と親和性が高いから。そして東アジアにおいてもこの国は、特に現状を追認する傾向が強い。なぜなら韓国や中国に比べれば、いい意味でも悪い意味でも個が弱いから。

招致が決まったころの東京五輪の大義は「復興」だった。でもコロナ禍が始まって安倍前首相は、開催する大義を「コロナに打ち勝った証し」に代えた。菅首相も就任後しばらくはこれを引き継いでいたが、さすがに新型コロナ対策の大きな遅れが明らかになった今年一月のダボス会議では「新型コロナウイルスに打ち勝った証し」に加えて「世界の団結の象徴として」を並べ、さらに四月の訪米でバイデン大統領と会談したときは、「世界の団結の象徴として東京オリンピック・パラリンピックの開催を実現する」と表明した。こうして「復興」に続いて「打ち勝った証し」も消えた。

その後の菅首相は現在に至るまで、「対策を徹底することで国民の命や健康を守り、安全・安心の大会を実現する」と発言し続けている。いつのまにか「世界の団結」も消えて残されたのは「安全安心」。六月二日のぶら下がり会見のように時おり「平和」などと口走るけれど、基本的には「安全安心」。国会で野党議員から、なぜリスクを冒してまで開催するのか、とこだわる理由を何度訊ねられても、「国民の命と健康を守り、安全安心な大会が実現できるように全力を尽くす」と繰り返すばかり。大義を言わない。理由を述べない。おそらく言えないのだろう。愛着や未練を理解(共有)できないAI同様に、何度質問しても同じフレーズを繰り返すばかり。そんな菅首相について、政治評論家の田崎史郎はテレビで口下手と評して擁護したが、仮に本当に口下手な政治リーダーであるならば、それは手先の不器用な外科医や高所恐怖症のとび職人に等しい。適性がないのだ。

政治は言葉だ。それが劣化すれば政治も劣化する。僕たちは今、その典型をリアルタイムに目撃し続けている。

この原稿を入稿する直前、ウォール・ストリート・ジャーナル日本版が、菅首相へのインタビューを行った。

菅氏は、自身に近い関係者を含めた人々から五輪を中止することが最善の判断だと、これまで何度も助言されたと明かした。「やめることは一番簡単なこと、楽なことだ」とした上で、「挑戦するのが政府の役割だ」と語った。

いやいや違うよ。政府は安易なギャンブルなどすべきではない。ましてこの挑戦のための寺銭は国民の命と日常だ。何に酔っているのか。この記事では、以下のような記述もある。

ただ菅氏は、競技が始まり、国民がテレビで観戦すれば、考えも変わるとして自信を示した。

悔しいがこれは認める。僕もそう思う。五輪期間中によほどの感染爆発が起きないかぎり、国民は始まってすぐにテレビ観戦に熱中するし、パラリンピックが終わるころには、いつのまにか支持率も回復しているはずだ。

だからあらためて書く。劣化した政治だけではなく、劣化した社会の姿も、僕たちは今、リアルタイムに目撃し続けている。

（二〇二〇年七月二日）

［ヘイト・差別］

コロナ禍のヘイトを考える 2

安田浩一

安田浩一（ヤスダ・コウイチ）

一九六四年、静岡県生まれ。「週刊宝石」「サンデー毎日」記者などを経てフリージャーナリストに。事件・社会問題を主なテーマに執筆活動を続ける。ヘイトスピーチの問題について警鐘を鳴らした『ネットと愛国』（講談社）で二〇一二年の講談社ノンフィクション賞を受賞。一五年、「ルポ 外国人『隷属』労働者」（「G2」Vol・17）で第四六回大宅壮一ノンフィクション賞雑誌部門受賞。著書に『「右翼」の戦後史』（講談社現代新書）、『ルポ 差別と貧困の外国人労働者』（光文社新書）、『ヘイトスピーチ』（文春新書）、『団地と移民』（KADOKAWA）など多数。

1 「コロナ入り残りカスでも食ってろ」と脅迫文書。川崎のヘイトクライム。

神奈川県川崎市の多文化交流施設「川崎市ふれあい館」（以下、ふれあい館）に、在日コリアンの殺害をほのめかす脅迫文書が届いた。館長の崔江以子（チェカンイヂャ）さんが自席でそれを見つけたのは二〇二一年三月一八日の朝だった。

自身宛ての郵便物を確認していると、見覚えのない差出人の封筒があった。東京都足立区内の消印が押されていた。

「その瞬間、嫌な予感がした」と、後に崔さんは話している。

在日コリアン三世の崔さんは、これまで幾度もレイシストたちの標的になってきた。民族差別をやめてほしいと訴え、ヘイトスピーチの被害を口にするだけで、悪質で理不尽なバッシングに見舞われる。ネットで攻撃されるばかりか、家族も中傷された。過去には職場にゴキブリの死骸の入った郵便物が届いたこともある。

さらに、前年の一月にも「在日韓国朝鮮人をこの世から抹殺しよう」と書かれた差別文書がふれあい館に送り付けられたことがある。この事件は威力業務妨害事件として捜査され、元市職員の六〇代男性が逮捕された。横浜地裁川崎支部は二〇年一二月に懲役一年の実刑判決を言い渡し、確定している。

これら悪夢のような記憶は決して消えることがない。崔さんが警戒するのは当然だった。

慎重に、ゆっくりと封筒を開けた。中には、明らかに便せんとは違った紙片らしきものが入っていた。小さく悲鳴を上げて、崔さんは封筒を放り出した。

近くにいた職員が駆け寄り、中身を確認した。同封されていたのはスナック菓子の空き袋だった。さらにA4サイズの紙が一枚。

「コロナ入り残りカスでも食ってろ」「朝鮮人豚ども根絶やし」「南北朝鮮人は即祖国に帰れ」「死ね死ね死ね……」「殺ろ」

そうした文字が記されていた。悪質極まりない脅迫状である。

即座に刑事告訴に踏み切った。神奈川県警による捜査は現在も続いている。

幸い、崔さんらふれあい館職員がこの手紙によってコロナ感染することはなかったが、それでも脅迫の事実は大きな影を落としている。

崔さんはこの事件以降、外出時には防刃ベストを身に着けるようになった。「狙われている」といった意識が抜けることはない。

コロナを利用した脅迫事件――というよりも悪質なヘイトクライムである。

いったい、崔さんが、ふれあい館が、何をしたというのか。なぜ、幾度もヘイトクライムの被害を強いられなければならないのか。

ふれあい館は在日コリアンが多く住む川崎の南部地区で、マイノリティーや困難を抱える子どもたちの〝居場所〟としても機能してきた。国籍を問わず、様々な背景を持つ市民の、文字通り「ふれあい」の場である。長きにわたって差別のないまちづくりに取り組んできた。地域社会を守ってきたのである。

レイシストはそうした取り組みを嫌悪し、嫌がらせや脅迫を繰り返す。「愛国者」を気取りながら、地域を破壊し、人を傷つけ、社会に恐怖を与えているのだ。

しかも今回の場合、「コロナ」への恐怖をも利用し、マイノリティを脅迫した。絶対に許されるものではない。

記者会見で崔さんは次のように述べた。

「またか、という気持ちです。またしても辛い、痛い、苦しいと言い続けなければいけない、また戦わなければいけないんだなと思いました。正直に言えば、封筒が届いたことがなかったことになればいいとさえ思いました。しかし、これで黙ってしまえば、『朝鮮人は死ね』という人たちの成功体験になってしまう」

結局、被差別、被害者の当事者である崔さんが、名前や顔をさらし、訴えなければならないのだ。傷ついた者がさらに傷を負う。私たちの社会は、こうした不条理を生み続けている。

事件直後、弁護士や研究者で組織されるNGO「外国人人権法連絡会」は、ヘイトクライムを非難し、政府に対策を求める緊急声明を発表した。

声明では脅迫文書が「朝鮮人に対する極めて侮蔑的な差別文言」で書かれているとしたうえで、「単なる一般の犯罪にとどまらない、差別的動機に基づくヘイトクライムである」と断罪。さらにこう続けた。

「このようなヘイトクライムを放置すれば、在日コリアンというだけで攻撃されても仕方がないとの雰囲気が社会にまん延し、さらなる差別、暴力、ついにはジェノサイドや戦争につながることは歴史が示している」

「現在、コロナ禍において、アメリカでアジア系市民が銃殺されたり、街中で暴力を受けるヘイトクライムが増加していることが報道されている。しかし、それは他人ごとではない」「被害者を孤立させず、誰もが差別と暴力に怯えずに暮らすことができる共生社会をつくるべく、一人一人が沈黙することなく、『ヘイトクライムを許さない』との声をあげ、国に対策をとることを求めるよう強く呼び掛ける」

ちなみに本年は、不当な差別的言動を許さないヘイトスピーチ解消法（本邦外出身者に対する不当な差別的言動の解消に向けた取組の推進に関する法律）の施行から、ちょうど五年の節目でもある。

一六年に衆院本会議で同法が可決・成立した際、国会の傍聴席で両手を合わせて喜びの表情を浮かべていたのは、崔さんだった。ヘイト被害の実態を訴え続けてきた崔さんは、同法を審議する国会に参考人として招かれたこともある。

「国がようやくヘイト対策に動いてくれた」

法成立直後、喜びを口にした崔さんの晴れやかな表情を、私ははっきりと覚えている。

解消法が一定の効果をもたらしたのは事実だ。ヘイトの弊害は広く周知され、差別デモを食い止める市民の動きも活発化している。一方、罰則のない理念法の限界も見えてきた。深刻な差別はいまなお続く。

崔さんが受け続ける被害をあざ笑うかのように、解消法の存在など無視するかのように、いまでは社会的影響力のある者までもがヘイトのお先棒を担ぐ。社会に自浄能力がないのであれば、理念法は理念のままで終わる。より実効性のある法整備こそ、検討すべき段階にきているのではないのか。

「差別されない自由」こそ社会が獲得すべきだ。

コロナ禍にあって、レイシストはますますその醜悪な姿を見せつける。

2 コロナで追いつめられる外国人労働者、非正規外国人

二〇二一年七月一日、米国務省は世界各国の人身売買に関する二一年版の報告書（2021 Trafficking in Persons Report）を発表した。日本については国内外の業者が外国人技能実習制度を問題視。実習制度を強制労働（forced labor）なる言葉を用いたうえで、「外国人労働者搾取のために悪用し続けている」と指摘した。

厚生労働省によると、日本で働く外国人技能実習生は約四〇万二〇〇〇人。外国人労働者全体の二割を占める。

実習生の多くは相変わらず過酷な労働環境で働かされるばかりか、コロナ禍によって、さらに苦境に追い込まれた。

私が二一年二月に取材した岐阜県内の工場で働くベトナム人実習生は、「日本に来たことを後悔している」と暗い顔を見せた。コロナによる受注減で残業もなく、来日前に約束されていた給与も大幅に減額され、出国時の借金返済もおぼつかない。実習生仲間のなかには、職場から逃げ出し、違法であることを知りながら他の職種に移ったり、万引きなどで逮捕された者もいるという。

実際、外国人実習生の「犯罪」は、メディアで頻繁に取り上げられる。万引き、賭博、農作物などの窃盗。こうした罪で逮捕される実習生がいることは事実だ。これを「外国人犯罪」の典型だとし、あたかも治安が脅かされているかの如く主張する向きもあるが、本当にそうなのか。

二一年三月、富山県内で三〇万円相当の日用品を万引きしたベトナム人実習生が窃盗罪で逮捕されたが、五月に行われた裁判で実習生は次のように訴えた。

「生活費と帰国するための飛行機代がどうしても欲しかった。ベトナムに帰りたくとも、金がないために帰ることができなかった」

その実習生は一七年に来日したが、翌年、突然に解雇されて仕事を失った。出国時に一〇〇万を超える手数料をブローカーに払っていたが、それらはすべて借金でまかなっていた。仕事がなければ借金返済もできない。帰国を延ばしているうちに滞在期限が切れ、二〇年一〇月に不法滞在で逮捕され、入管施設に収容される。その後、帰国を条件に仮放免(一時的に収容を解くこと)となった。本人はその時点では本当に帰国することを決めていた。実際、仮放免になった直後に大使館を訪ね、帰国の意思を告げている。ところが、コロナによってベトナム行きの飛行機はほとんどが欠航。帰りたくとも帰ることのできない状況となってしまった。仮放免中の就労は禁止されているうえ、生活保護などの福祉も利用できない。つまり、何の生活保障もないまま、日本に滞在せざるを得なくなったのだ。

結局、この実習生は窃盗に手を染めることになった。返済が終わっていない借金にも悩んでいたのだろう。

高額な出国費用と権利無視の労働環境、そしてコロナ。これらによって実習生は苦境に陥り、「犯罪者」として裁かれることになってしまったのだ。

犯罪行為が許されないのは当然だが、彼は犯罪をするために来日したわけではない。労働者としての権利を無視された人身売買もどきの実習制度に組み込まれ、コロナによって帰国すらできなくなった。

同様の事例はほかにもある。

外国人、なかでも非正規滞在となった外国人は、あらゆる公的なセーフティネットから対象外とされ、コロナ対策の給付金もなければ、ワクチン接種の機会すら与えられない者もいる。農作物や衣料品、水産加工品、建築関連など、様々な分野で実習生の労働力に依存してきた日本社会は、しかし、コロナ禍にあっては冷たく突き放した。コロナで仕事を失った外国人を、まるで犯罪者予備軍のように位置付けた。

いや、外国人であることだけを理由に社会の一員として認めようとしない、認めたくないといった差別と偏見は、各所に満ち満ちている。ときに行政の姿勢からも見て取ることができる。

二一年一月、総社(そうじゃ)市(岡山県)の片岡聡一(そういち)市長は、自らのTwitterに次のように書き込んだ。

「コロナ禍のこんな時期なのに総社市の人口が過去最大を更新し六万九六〇九人になりました。外国人の増減でなく日本人の転入者が増えています。嬉しいこと」(二〇二一年一月一三日)

いったい何が「嬉しい」のか。これを目にした市内に住む外国籍住民はどう思うだろう。自らが「喜ばれない」存在だと考えてしまう人も少なくないはずだ。

コロナ禍にあって外国人人口が増えなかったのは、そもそも入国が困難であったこと、外国人労働者、実習生の解雇、失業が増えたなどの要因も大きいはずだ。それは困難を抱えた外国人が増えたことでもあるのだから、地域の首長としては、まず、そこに着目すべきだった。

少なくとも外国籍住民はこうしたツイートを目にすれば、少しも「嬉しい」気持ちにはなるまい。

二月、在留資格のない外国人を収容する東京出入国在留管理局（東京入管、東京都港区）の収容施設では、新型コロナウイルス（以下、新型コロナ）のクラスター（感染者集団）が発生した。

感染したのは収容されている外国人五八人。全収容者の四割以上にあたる。

入管施設内におけるクラスター発生の危険性は、かねてより指摘されていたことだ。二〇年四月、日本弁護士連合会は次のような会長声明を発表している。

「入管収容施設においては、多数の被収容者が『密閉』された雑居室に『密集』・『密接』して収容されており、一人でも感染者が出た場合には同じ居室や隣接居室が一気に『クラスター』化するおそれが極めて大きい」

そのうえで「在留特別許可、特別放免、仮放免、仮滞在等の諸制度を最大限活用することにより、速やかに収容を解き、集団感染のリスクを大幅に軽減すること」「収容場内での感染リスクを極小化する実効的方策を講じるとともに、仮に感染した場合のための適切な医療体制を確保すること」を入管当局に求めた。

だが、実際にはこの時期、被収容者がコロナを理由に収容を解かれることはほとんどなく、密閉された施設の中で感染が広まったのである。

入管の収容施設は、刑務所と変わらない。自由を奪われ、移動も人権も制限される。しかもいまは収容の「長期化」が問題となっている。日本では収容の上限が決められていないからだ。滞在資格がないというだけで犯罪者扱いし、「全件収容主義」に基づいて収容施設に送り込む。長期収容が横行し、医療も精神的ケアも不十分。そうしたなかで、コロナにまともに対応できるはずがない。

ちなみに、二一年三月には名古屋入管の収容施設でスリランカ人女性、ウィシュマ・サンダマリさん＝当時（三三）＝が亡くなった。コロナとは直接には関係ないが、彼女はからだの不調を訴えながらも適切な医療を受けることができず、しかも詐病（さびょう）まで疑われて命を失った。入管収容施設での死亡事例は後を絶たない。過去一五年間で少なくとも一七人の外国人の死亡が報告されている。

問題の根源が、こうした外国人収容者に対する入管の人権軽視政策にあることは明らかだ。実際、国連人権理事会の恣意的拘禁作業部会は二〇年、日本の入管政策に関して「国際法違反にあたる」として長期収容を認めた入管法の見直しを要請した。しかし政府はこれに異議を申し立てると同時に、さらなる厳罰化を含めた入管法改正案を春の通常国会に提出する始末だった（広範囲な市民の反対で、結局は廃案に追い込まれた）。

人権も命も、ないがしろにされる。それが日本の「外国人政策」だった。

六月、今度は三重県のウェブサイトに奇妙なイラストが掲載された。「不法就労対策」を訴える画面に描かれたのは、三人の男女。それぞれが作業服、防護服、肌もあらわなドレスを身にまとい、「在留資格　無資格」「在留資格　留学」などと書かれた紙を手にして、不気味に笑っているイラストだ。全員ともに灰色の肌に黄色の目をしているのは、外国人であることを強調するためであろう。

外国人に対する悪意だけが伝わってくるものだった。

外国人労働者を犯罪者とみなすようなこのイラストは、さすがに批判を受けた。

「外国人差別を煽るものだ」「偏見に満ちている」。そうした批判が県に相次いだという。これを受けて県はイラストを削除したが、外国人に向けられる行政のスタンスだけは十分に理解することができたのではないか。

結局、外国人は当たり前の人間としても見られていない。

七月、東京都江戸川区では、新型コロナの接種券を外国人住民には、日本人住民より約一週間遅く発送していたことが明るみに出た。

いったいなぜ、日本人と外国人に接種券の発送時期で差をつけるのか。一日でも早くワクチン接種を受けたいのは外国人であっても同じだ。

同区は「説明に戸惑わないよう外国語案内文を同封し、その作業に時間を要した。差別の意図はなかった」とメディアに答えている。

とはいえ、外国人支援団体などは「案内文を入れる作業で一週間も遅らせるのはおかしい」

と批判する。

同区は「差別の意図はなかった」というが、こうした場合、「意図」の有無はどうでもいい。差別はすべて結果から生じるものだ。そもそも最初から差別的な意図などがあるとすれば、それこそ大問題である。

実際に外国籍住民は差別された。それが結果である。

存在そのものが軽んじられる外国人。そればかりか、排他の空気に煽られて差別と偏見が横行する。

コロナ以上の恐怖を感じている外国人はけっして少なくない。

（二〇二一年七月一三日）

［おまけ］

論創社のコロナ日記

——社長が新型コロナに感染した！

谷川 茂
（論創社編集部）

二〇二一年四月下旬、論創社の社長（七三歳）が新型コロナウイルス（以下、新型コロナ）に感染した。

ついに、身近に新型コロナがやってきた……。そう感じた私は、退院後の社長から、発症、入院、そして退院までの経緯を聞き取ろうと思った。

一方、コロナ感染者が出た論創社が、会社としてどう対応したのか。『定点観測 新型コロナウイルスと私たち』を刊行している出版社として、記録しておこうと考えた。以下は、社長の証言を元にした記録と、筆者によるメモ（ゴシックの部分）である。

＋＋＋＋＋

二〇二一年四月一八日（日） 社長は、知人と会うために隣県のＨ駅を訪れた。日曜のＨ駅周辺は、コロナ禍などどこ吹く風といわんばかりに混雑していた。駅前で知人と落ち合ったが、あまりの混み具合に喫茶店を二軒ほどハシゴしてから帰宅した。酒は飲んでいない。

この日、緊急事態措置が出ている東京都の感染者数は五四三人で、二〇代の感染が最多となった。一方、まん延防止等重点措置の千葉県は、感染者数が八五人。

四月一九日（月） 目覚めると、なんとなく微熱があるような気がした。だが、他の症状は見られないし、熱もないため、自宅から神保町の会社までバス、電車で向かう。夕方、某出版社の社長ふたりと、四ツ谷でお酒が飲める店にいく。店内はガラガラ。二〇時に店を出て帰宅した。

東京都の感染者数は四〇五人で、月曜に四〇〇人を超えるのは一月二五日以来のことだ。大阪府では感染が止まらず、吉村知事が国に緊急事態宣言を要請すると表明した。

四月二〇日（火）　朝起きると、今日も熱っぽくはあったが、会社に行く。計ると平熱であった。夕方早めに、同僚と会計事務所の人を誘い、神保町の店で酒を酌み交わす。酔いのまわりが早く、あまり飲んでもいないのに酔っ払った。

大阪府で一一五三人の感染が確認される。東京都の感染者数は七一一人で、前週の同じ曜日より二〇一人の増加。よりによって朝日新聞には「マスクせず乾杯、『朝まで営業』満席　大阪・東京の夜」との記事が。

四月二一日（水）　少しだるかったが、昼から会社に行く。連日、呑んでいるので、「さすがに今日は早めに帰ろう」と思い、夕方まで仕事をしてから帰宅した。喉がむずがゆかったので、龍角散を二、三粒なめた。

東京都の感染者数は八四三人。国内では五二九二人の感染が確認され、うち一府五県で過去最多を記録。とくに大阪府は一二四二人となり、まるで以前の東京都のような感染爆発が起きている。

四月二二日（木）　昨晩から体調が少しずつ悪化し、朝になると起き上がれない状態となる。熱が上がってきた。とにかく、だるい。それでも、寝ていれば治ると考え、この日は丸一日、家で寝ることにする。咳はないが、体温計の数字は三八度五分。

政府は、東京、大阪、京都、兵庫の四都府県を対象に緊急事態宣言を出すことを決めた。期間は、四月二五日から五月一一日に。東京都の感染者数は八六一人と、じわじわ増えてきた。宣言が出れば、東京では飲食店の酒類提供が終日禁止になり、連日、酒場で関係者と打ち合わせをおこなっている社長には大打撃となる。

四月二三日（金）　朝起きて熱を計ると、三八度五分を超えていた。あまりに体調が悪いため、近所のクリニックに連絡する。症状を説明すると、医師からＰＣＲ検査を受けた方がよいといわれ、また裏口から入るように指示される。唾液（だえき）を小さなビンに入れて渡したあと、薬局の外で待たされ、解熱剤などの薬をもらい、家に帰った。そして、起きているのがつらくなり、ひたすら寝る。

東京都の感染者数は七五九人。小池知事が路上飲み対策として、都職員と警察とで見回りをすると同時に、「街灯を除いて、全ての明かりを消すことを徹底していただきたい」と言い出す。都民はホタルじゃない！

本書の執筆者である竹田砂鉄さんがＴＢＳラジオ「アシタノカレッジ」で、政治談義の相方である澤田大樹記者と何度も指摘していることがある。それは、緊急事態宣言やまん延防止等防止措置を首相が会見で発表するのが、いつも金曜だということ。

酒類の提供ができなくなるにせよ、休業が要請されるにせよ、飲食店にとって金曜に発表されるのは困る。世話になっている取引業者が土日に休むケースが多いからだ。仕入れを続けるにしても、休止するにしても、業者に迷惑をかけざるをえなくなってしまう。

とくに、自分らと違い酒屋には協力金が出ない。なるべく迷惑をかけたくないのに、金曜に会見のをおこなうために迷惑をかけざるをえなくなるのだ。こうした話を聞くと、政府はどこの誰に話を聞いて政策を決めているのだろう、と疑問視せざるをえない。

四月二四日（土）　起きるのがきつい。家で寝ていると、病院から電話があった。ＰＣＲの再検査をするといわれた。再検査の場合、九割が陽性だという。だから、この時点で新型コロナに感染したんだと覚悟を決める。しかし、このまま入院したら社員に給料を払えなくなる。最後の力を振り絞ってタクシーに乗り、会社に寄ってから銀行で社員に給料を振り込む。

——じつは、筆者（谷川）はこの日、出社していた。論創社はビルの二階と三階に事務所があり、三階に机があるのは私と顧問だけ。三階の窓を開け、外を見ながら煙草を吸っていると、社長が歩くのが見えた。

「社長、お元気ですか？」

社長の感染などまったく知らなかった私は、こんな声をかけてしまった。社長は、手を横に振りながら「ぜんぜん元気じゃない」といって、早足で去っていった。このあと銀行にいって、給料を振り込んだのだという。

翌日、社長のコロナ陽性が確定するが、幸いなことに、接触者でコロナに感染した者は誰もいなかった。

大阪府では、五日連続で感染者数が一〇〇〇人を越えた。東京都は八七六人となり、明日から飲食店で酒の提供ができなくなる。東京・文京区で小さなフードバーを営む筆者の知人は、換気やパーテーション、体温計、消毒液などの感染対策をおこない、都職員のチェックも受けているのに、なぜ営業できないのだろうと疑問を投げかけていた。

四月二五日（日） ＰＣＲ検査を受けたクリニックが保健所に連絡をしたらしい。朝、保健所から電話がある。「あなたはコロナ陽性です。明日の一〇時に医療タクシーを自宅前に手配したので、それに乗って、都立〇〇病院に行って入院してください」とのこと。

――この日、社長の次男（論創社の編集担当）から社員に、社長がコロナ陽性になったとの連絡が社員全員に入る。そして、社員全員に対し、明日にPCR検査（費用は会社負担）を自主的に受けるようにとのこと。明日の九時から業者が会社に入り、消毒することになった。消毒の費用は、一部屋八万円（論創社は二階と三階の二部屋なので、合計一六万円）。

東京都の感染者数は六三五人。飲食店をはじめ、百貨店、文化施設、シネコンなど多くの現場が、急な休業要請への対応に追われた。

四月二六日（月）　保健所の指示にしたがい、手配されたタクシーに乗って指定された病院に向かった。途中で一人ひろう。病院に着くと、防護服を着た看護師に付き添われ、新型コロナ患者用の病室に向かう。パジャマを着て、ベッドに入り、すぐに寝た。熱が三九度（？）まで上がる。体がだるい。そこから先のことはくわしく覚えていない。とはいえ、咳も出ないし喉の痛みもなかった。医師がやってきて、問診を受けたのは覚えている。

――筆者は、会社の指示に従って、秋葉原で民間のPCR検査を受けた。費用は三〇〇〇円。結果は本日中に出るという。陰性だったら、明日は出社しよう。

東京都の感染者数は四二五人で、その三割弱が二〇代だという。後手にまわるコロナ対策に加え、複数の大臣経験者が検挙され、モリ・カケ・桜の検証もあいまいな中、北海道と広島、長野でおこなわれた国政選挙で、自民党は全敗だった。一方、名古屋市長選挙では、署名偽造事件に関わったとされる河村たかし氏がなぜか当選した。名古屋市民が彼に投票する動機は、いったい何なのだろう。

四月二七日（火）　この日も発熱が続き、食事とトイレの時間以外はずっと寝ていた。とにかく足がだるい。食欲はあまりなかったが、味覚に問題はなかった。入院した病院は、ワンフロアーを新型コロナ患者用にしていた。一部屋六人定員の五部屋がコの字型にならび、中央にナース室、トイレ、浴室、洗面所がある。入った部屋には、四人の患者が寝ていた。食事は一日三回、トイレに行く以外に、カーテンでしきられた小部屋を出ることはない。入院中、他の患者と言葉を交わす機会はなかった。

——筆者のＰＣＲ検査結果は、陰性だった。昼前に出社すると、抗原検査キットが社員各自に配られた。さっそく帰宅してから試してみたが、やはり陰性だった。

大阪府の感染爆発が止まらない。病床使用率は八〇％弱となっている。東京都の感染者数は八二八人。重傷者は五五人だというが、国と都ではなぜか重傷者の定義が異なる。都の定義だと、国の定義よりも重傷者数が少なくなるのだ。昨年の夏から指摘されていたのに、ずっと変わらないのはどうしてなのだろう。

四月二八日（水）　前日と同様に、ひたすら寝る。体調は戻らない。食事のたびに看護師さんが声をかけてくれた。だが、防護服やマスクで完全装備しているため、誰が誰なのかわからない。しばらくすると、彼女たちが三交代勤務であることはわかった。新型コロナ患者に対して、献身的な仕事をしてくれていた。体温・血圧・血糖値・酸素濃度などを日に三度計りにくる。

全国の感染者数が五七九三人となり、大阪府は過去最多の一二六〇人。東京都は九二五人で、三カ月ぶりの九〇〇人越えとなった。首都圏の四都県知事がGWには「一都三県に遊びに来ないで」などとちゃんちゃらおかしいメッセージを発信。うわべをつくろった言葉に、誰がしたがうのだろうか。

四月二九日（木） ＭＲＩ（磁気共鳴画像）で肺の検査をした。二回目の医師による問診があり、新型コロナによる肺炎を起こしているとのこと。体調の悪化がピークを迎えた。何もする気がおきない。とにかく眠る。

東京都の感染者数は一〇二七人。三カ月ぶりに一〇〇〇人を超えた。コロナ禍でたいへんな思いをしている人たちがいるなか、五輪はどこへ行くのだろう。誰が責任をとるのかもあいまいで、開示すべき情報は隠されつづけている。

四月三〇日（金） この日から五月四日まで、抗ウイルス薬のレムデシビルを点滴で投与される。

一回、二時間かかる。食事はとれたが、あいかわらず熱が高く、終日寝る。

東京都の感染者数は六九八人。連休で検査数が減っているのだから、人数が少ないのは当然だ。かねがね、この「検査数」には疑問を持っている。ニュースでは感染者数ばかりが報じられるが、検査数も報じなければ感染者数の意味が半減するのではないか。だって、何らかの理由で見かけ上の感染者数を減らしたければ、検査数を減らせばよいのだから。

五月一日（土）　前日と同じく、レムデシビルを投与され、ずっと眠る。

東京都の感染者数は一〇五〇人。連休になってから、筆者は上野界隈を散策したが、日中は買い物客などでごったがえし、夕方からは闇営業の居酒屋が大繁盛。若い人たちがノーマスク＆密集＆大声で楽しそうに飲んでいる。「若い人」と書いたが、これは誇張ではなく、ほんとうに中高年の人がいないのだ。これじゃあ感染が収まらないよなぁ、とつくづく思う。

五月二日（日）　レムデシビルを点滴で投与。そして寝る。この日、七四回目の誕生日を迎えた。夕食には、「誕生日御膳」と名札のついたいつもより少し豪華な食事が出された。一人で食べる。熱が下がるかどうか、不安になる。

東京都の感染者数は四四〇人。連休で検査数が減っている、という前提での数字である。報道では、大規模接種で七月末には高齢者の接種を完了させるそうだ。首相や河野大臣ら政府関係者は、これを手柄のように語っている。だが、元を正せば政府によるワクチン手配の遅れという失政により、接種が遅れてしまったことを忘れてはならない。

五月三日（月） ようやく熱が下がってきた。体がだるいのは変わらないものの、前日よりも頭がクリアになった。持参した本が、ようやく読める。

東京都の感染者数は七〇八人。先週の月曜より二八三人多い。東京の緊急事態宣言は五月一二日までだが、これを延長するのかどうか。そもそも、同宣言は期限を決めて発出すべきものではなく、感染がどれだけ収まったのかを基準にしつつ、期限を柔軟に設定すべきものであろう。ウイルスは、政府が設定した期限など守ってくれるわけがない（その後、同宣言は二回、再延長されることになる）。

五月四日（火） 肺炎の具合を調べるため、レントゲンを撮る。なんと、病室にいながら撮影できる移動機器があることにおどろく。看護師さん一人で操作する。三回目の医師による問診があり、肺炎はほとんど治っていることを知らされる。体調は、だいぶ楽になった。発熱から約一二日、入院から八日が経過していた。退院について医師に聴くと、連休明け（五日）までは病院で安静にしてくれと言われた。

東京都の感染者数は六〇九人。筆者は、連休中も連日会社に出ていたのだが、神保町の日中の人出は非常事態宣言が出ているとは思えぬくらい多い。

五月五日（水） 体調が発熱前の状態に、ほぼ戻る。が、足の筋肉は相当おとろえたようだ。一日中、病室のベッドにいたのだから、仕方がない。翌日一〇時の退院が決まると、体と気持ちがいっきに楽になった。

全国の重傷者数が一一一四人と過去最多を記録。東京都の感染者数は六二一人。二〇代が一五五人で最多となっているのは、夜の町を歩けば理解できる。

五月六日（木） 一〇時に退院する。通常の入院ならば、この時点で費用の精算がある。しかし、新型コロナ患者の場合、医療費はすべて国が負担する。一日五〇〇〇円のパジャマとタオルの費用は、後日、業者から請求書が送られてきて精算するのだという。会社へは寄らず、タクシーでそのまま帰宅する。

東京都の感染者数は五九一人で、その七割が変異株となった。変異株の流入は、空港検疫などの水際対策がザルであった結果である。マンパワーの不足が入国管理の不徹底につながったと言われるが、ならばそこに予算を割いて対策をとるのが政府のすべきことなのではないか。

五月七日（金） ひさしぶり、一五日ぶりに出社する。それなりの距離を歩くと萎（な）えた足が痛くなった。だが、ゆっくり歩けば問題ない。胃の調子もいいようだ。

会社に着くと、社員から「お疲れさまでした！」との声がかかる。「もう大丈夫」と答え、作業中のゲラが山積みとなった自分の席に着いた。

＋＋＋＋＋

――証言の記録は以上となる。

社長は、しばらくのあいだ足の痛みがとれなかったものの、数日後には完全に復調した。いまでは毎日、打ち合わせをこなし、ゲラに赤を入れ、酒を飲んでいる。

発症前に打ち合わせや飲み屋で同席した人には、感染者が出なかった。

ただし、ひとつだけ気になることを社長から聞いた。退院してから会った人のなかに、新型コロナに感染したことを話すと、嫌がったり煙たがったりする人がいたことだ。おそらく、一度、新型コロナに感染すると、退院しても体にウイルスが潜んでいて、近寄ると感染すると勘違いしているのだろう。

実際には、そのようなことはない。新型コロナに対する抗体は体内にあっても、ウイルスが潜んでいるわけではない。科学的な知見があれば、こうしたことは理解できると思う。だが世の中、そんな人ばかりではないようだ。

社長は最近、自身が新型コロナに感染し、入院したことを人にいわなくなった。なんだか世知辛い社会だなぁ、とつくづく思う。

（二〇二一年六月二〇日）

［追　記］

今日は二〇二一年七月二七日。本企画の編集作業が大詰めを迎えた今、東京都では連日一〇〇〇人を超える感染拡大が起きている。他方、感染症の専門家からは中止か延期を求められてきた東京オリンピックは、七月二三日に開会式が行われた。その前日からの四連休には、東京から全国へ観光や里帰りする人々が増え、東京の感染拡大が全国に波及する可能性が高い。

飲食店に関わる人々は、自分らを守る気が政府にはないと判断しつつある。その結果、東京の繁華街では、酒類の販売自粛に従わない店も多くなってきた。そういう店には、若手から中年の行き場を失った人々が集う。二〇代から四〇代の感染者が爆発的に増えている理由のひとつは、街を歩けばわかる。

論創社の社長のコロナ感染は、幸いなことに軽症で済んだ。ワクチンの効果で高齢者の感染が減り、重傷者も減っているのは事実である。だが、デルタ株の感染力は強く、病状の進行も早いという。菅首相は高齢者の感染が減ったことを自慢げに語るが、だからといって医療逼迫が起こらないという保障はどこにもない。

今は緊急事態宣言のまっただ中。危機的状況であるにもかかわらず、通勤電車は満員で、街を歩く人の数も減らず、居酒屋は夕方から混み合っている。つまり、政府や東京都から出される「自粛」「ステイホーム」「テレワーク」などといったメッセージは人々に届いていない。第一回目の緊急事態宣言時には届いていたメッセージが、なぜ人々に届かなくなったのか。

コロナ禍に関しては、様々な言説が溢れかえっている。新聞やテレビなどマスメディアの取材力が弱まり、スキャンダルのみならず政府や財界の中枢に斬り込む「週刊文春」の発売日が唯一の楽しみになりつつある。オリンピックが始まると、大新聞はスポーツ新聞のような紙面作りになり、テレビはNHKを含めて報道番組の枠を大幅に削っている。コロナ禍なのに。

本企画は、今回で三冊目。二〇二〇年一月から二一年六月末までの一年半を、同じ執筆陣が同じテーマでコロナ禍を観測している（一部の執筆者は、テーマを継続した上で、他の方に入れ替わっている）。溢れる情報を整理し、この「緊急事態」を記録し、後生に残す。そんな媒体として、書籍は適していると私は考えている。

今年七月に入ってからの五輪と感染拡大をめぐるドタバタ劇、そして秋の総選挙などについては、来年三月に刊行となる本企画の第四弾（観測期間は二一年七月〜一二月末）で各執筆者が記述してくれるであろう。編集担当が本企画で目的とすることは、ただ一つ。繰り返すが、新型コロナをめぐる社会で何が起きていたのかを残し、風化させないことである。

（二〇二一年七月二七日）

「新型コロナウイルスと私たちの社会」関連年表（二〇二〇年一二月〜二一年六月）

2020年

12月

1日　世界の子ども一三億人が自宅でネットの接続環境なし　ユニセフ／世界の感染者六三二三万人　死者一四六万人／コロナによる子どもへのストレス続く＝国立成育医療研究センター／Ｇｏ Ｔｏ東京発着「利用自粛呼びかけ」　都は事業者等に協力要請へ／東京都　三七二人感染

2日　コロナワクチン円滑接種へ改正予防接種法が成立　参院本会議／自民　公明　維新〝会期延長せず閉会中審査開催で協議〟を確認／千葉　酒類提供　時短縮要請　協力金なし　店側「納得いかない」／日本医師会長「感染者これ以上急増すれば医療提供不可能に」／「Ｇｏ Ｔｏイート」食事券事業の期間延長　食事券も追加発行へ／東京都　五〇〇人感染

3日　流通サービス　五人に一人　コロナ影響で客から暴言など　労組調査＝ＵＡゼンセンによる調査／米経済報告　感染急拡大で回復のペース鈍化が鮮明に／ミャンマー　累計感染者数一カ月で五〇％以上増／大阪府　吉村知事「医療非常事態宣言」を発表　重症患者の急増で／東京都　五三三人感染

4日　女性の雇用に大きな影響　解雇や休業は男性の一・四倍＝ＮＨＫと労働政策研究・研修機構の共同調査／アメリカ　二日の死者二八〇〇人超と最多「対策疲れ」か／世界のコロナ関連死者　一五〇万人超える／ひとり親世帯支援で子ども一人当たり最大五万円追加で支給へ／北海道　旭川　病院のクラスター国内最大規模　感染者二一四人に／医療体制各地でひっ迫　危機感高まる〝ギリギリの状態〟／東京都　四四九人感染

5日　制限緩和で約六万人入国　ビジネス目的は七％程度　うち留学二二九〇二人　技能実習二〇二二九人／東京都　五八四人感染

6日　大阪の〝赤信号〟点灯後も京都嵐山には全国から多くの観光客／東京スカイツリーには多くの家族連れ〝感染対策しながら〟／東京　三二七人感染

7日　官房長官　大阪と北海道に自衛隊　コロナ対応で要請ありしだい派遣へ／神奈川県　横浜と川崎の酒類出す飲食店での営業短縮要請を開始／東京都　二九九人感染

8日　ユニセフ　各国に学校再開求める〝感染拡大証拠ほとんどなし〟／対応に必要な医療用手袋が不足　現場から不安の声／保健所は第二波の時より負担増　目立つ感染は「会食」で／国内での重症者五三六人　過去最多を更新／イギリス　のワクチン接種始まる／東京都　三五二人感染

9日　尾身会長「宣言に至らずも地域によっては極めて重要な時期」／「大阪コロナ追跡システム」利用進まず　半年間で感染通知なし／世界の感染者六八二二万人　死者一五五万人／コロナ中等症までの専門病院　患者の受け入れ困難に　愛知／日本医師会　中川会長　コロナに「誰もが感染している可能性ある」／重症者は九日時点で五五五人／東京都　五七二人感染　六五歳以上一〇〇人超

10日　ドイツの一日の死者数最多に　首相〝厳しい措置必要〟／東京都モニタリング会議「医療提供体制ひっ迫し始めている」／東京都　六〇二人感染　六五歳以上の感染は第二波の倍近くに

11日　大阪への医療支援　防衛省　二カ所に看護師など派遣へ／子どもの貧困　先進国で五年は深刻な状況続く　ユニセフ報告書／全国の大学病院での手術数　前年比一五・五％減　コロナ影響／東京都　五九五人感染　家庭内感染最多に

12日　高齢者感染「家庭内」と「施設内」で八割近くに＝東京都の調査／韓国で一一日の感染者九五〇人　一日として過去最多に／全国の感染発表　一日として初の三〇〇〇人超／世界の感染

者数が累計で七〇〇〇万人超に／東京都 六二一人感染

13日 「コロナ条例」 三三自治体が制定国が動かず独自対策／東京都 四八〇人感染

14日 菅内閣「支持する」 四二％ 先月より一四ポイント下落＝NHK世論調査／大阪府 感染高止まり 時短要請延長 大阪市内全域に／医師会など医療団体が独自に医療緊急事態を宣言 北海道／Ｇｏ Ｔｏトラベル 全国一斉に停止へ 今月二八日～一月一一日 菅首相表明／東京都 飲食店などの営業時短要請 来年一月一一日まで延長／東京都 三〇五人感染 入院患者二〇〇〇人超え

15日 埼玉県、東京との往来自粛を要請 会食は「四人以下」に／首相、五人以上で会食 公明・山口代表が苦言「配慮を」／河井案里被告に懲役一年六カ月を求刑 公選法違反事件／米でコロナワクチンの接種開始「つらい日々終わって」／バイデン氏、過半数の選挙人を獲得「民主主義の勝利」／東京都 四六〇人感染

16日 公立小の一学級三五人以下に 来年度にも、政府最終調整／Ｇｏ Ｔｏイベント・商店街を一時停止 全国で二八日から／「勝負の三週間」 事実上の敗北 新規感染も重症者も増加／東京都 六七八人感染

17日 「今でギリギリ」 感染が高齢化、限界近い東京の医療現場／ボートピープル、命がけの先にコロナ帰れる場所もなく／東京都 八八二人感染

18日 コロナ禍で休退学五〇〇〇人超 大学生・院生 文科省が調査／「年度内にも接種を」 ワクチン承認審査、急ぐ厚労省／日銀、コロナ影響「長期化」予想 中小支援など半年延長／東京都 六六四人感染

19日 イタリア、年末年始に再ロックダウン 飲食業には補償も／ワクチン、二〇億回分確保へ 公平な分配へＷＨＯ主導／東京都 七三六人感染

20日　内閣支持率三九％に急落　Ｇｏ Ｔｏ停止「遅すぎ」七九％／英が三度ロックダウン　感染力七割増しの変異株出現／東京都 五五六人感染

21日　広がるコロナ変異種、伊・豪でも　英からの入国禁止拡大／「通常医療受けられなくなる」九団体が医療緊急事態宣言＝日本医師会ほか／安倍氏の国会説明「公開の場で」七〇％＝朝日世論調査／東京都 三九二人感染

22日　人出減らぬ首都圏「第三波」で感染拡大、勢い止まらず／コロナ患者受け入れ病院の二割で看護師離職＝日看協調査／安倍前首相から任意聴取　東京地検、「桜」夕食会めぐり／コロナ禍の消費抑制で家計資産が最高更新＝日本銀行統計／東京都 五六三人感染

23日　子ども食堂、全国に五〇〇〇超　コロナ禍でも増　青森は三倍／コロナで教員の負担増　精神科医「チームとして対応を」／東京都 七四八人感染

24日　菅首相が国民へ陳謝「私も事実と異なる答弁になった」／学術会議の独立、来春以降に判断議論足りず、先送りに／「むなしい」嘆く業者　年末年始のＧｏ Ｔｏ一斉停止／東京都 八八八人感染

25日　コロナ変異種、英から入国した五人が感染　国内初確認／ワクチン優先接種五〇〇〇万人対象　二月下旬開始めざし準備／「社会のコロナ慣れ怖い」重症化リスクの子を持つ親の不安／東京都 八八四人感染

26日　全世界からの入国緩和、一時停止　一部のビジネス客継続／米軍横須賀基地で感染者急増　司令官「規律守らぬ者が」／吉川元農水相の事務所を捜索　収賄容疑で東京地検特捜部／東京都 九四九人感染

27日　ワクチン、ＥＵで一斉に接種開始「変異種にも有効」／世界の感染者、八〇〇〇万人超　二週間に一〇〇〇万人増のペース／東京都 七〇八人感染

28日　南アの変異ウイルス、国内初確認／死去の羽田雄一郎氏、陽性 国会議員、初の死者／今年の出生数、八五万人割れ見通し コロナで少子化加速／東京都 四八一人感染

29日　コロナ後「生活苦しくなった」五一％＝朝日世論調査／支持率急落中の首相方針 変異型対応「振れ幅大きすぎ」／東京都 八五六人感染

30日　コロナに揺れた株式市場 楽観的な株高は現実と乖離？／医療体制「危機的状況に直面」＝東京都モニタリング会議／東京都 九四四人感染

31日　コロナ禍、追いつめられる年末 困窮者支援の緊急相談会／自民・藤丸衆院議員、二〇人で飲酒会食 地元の事務所で／東京都 一三三七人感染

2021年

1月

1日　ワクチンの緊急使用認める WHOが発表／全国の重症者七一六人／国内の感染者 四五一五人／東京都 七八三人感染

2日　おさまらない冬場の「第三波」医療現場の負担も限界に／国内コロナ死者、三五〇〇人超える／東京都 八一四人感染

3日　勝負の三週間に負けた国 専門家「緊急事態宣言が必要」／東京都 八一六人感染

4日　英でアストラゼネカのワクチン接種開始 まず五三万回分／菅首相「ワクチン接種、二月下旬までにできるよう準備」／東京都 八八四人感染

5日　東京のコロナ入院者、初の三〇〇〇人超 病床使用率は八六％／二階氏、五輪「開催しないお考え聞いてみたいぐらいだ」／東京都 一二七八人感染

6日　都内で三〇〇〇人超、入院先決まらず 専門家「調整困難に」／国内感染者 五〇〇〇〇人超／

飲食店の時短協力金、一日六万円に引き上げへ／東京都 一五九一人感染

7日 全国で過去最多の七五七一人感染 二〇都府県で最多更新／菅首相「感染の波、想像超え厳しい」緊急事態宣言を決定／東京の医療体制「破綻危機に瀕する」＝モニタリング会議／トランプ氏支持者、連邦議会に侵入 銃撃された女性死亡／東京都 二四四七人感染

8日 コロナ感染者、各県で最多更新／コロナ情報、信じていいか「不安」七四％＝朝日世論調査／昨年の介護事業所の倒産、過去最多一一八件 コロナ影響／追い込まれる保健所 感染激増の東京／東京都 二三九二人感染

9日 コロナ禍の生活変化「ストレス増」五三％＝朝日世論調査／東京都 二二六八人感染

10日 報告例ない変異ウイルスを確認 ブラジルから到着の四人／コロナ感染「健康より世間の目が心配」六七％＝朝日世論調査／東京都 一四九四人感染

11日 病床逼迫、勢い増す新規感染「重症医療は破綻している」／世界の累計感染者、九〇〇〇万人超える 死者は一九三万人超／抱擁、ノーマスク……混雑する成人式＝新潟市／東京都 一二一九人感染

12日 政府のコロナ水際対策「水浸し」自民党内から批判／コロナ迷走、強すぎた官邸「私から言えない」官僚たち／東京都 九七〇人感染

13日 緊急事態、解除急ぐと四月に再宣言の恐れ＝西浦博教授／七府県、緊急事態宣言区域に追加 出勤七割減などを要請／国内のコロナ感染者、三〇万人超え 三週間で一〇万人増／東京都 一四三三人感染

14日 出勤者の七割削減、悩む企業「事業に影響がない範囲で」／重症者九〇〇人、一〇日連続で最多を更新 九七人が死亡／東京都 一五〇二人感染

15日 吉川元農相を収賄罪で在宅起訴 入院中、身柄拘束見送る／「収入半分以下に」四割超 俳優

や音楽家ら五〇〇〇人が回答／フランス全土、一八時以降外出禁止 変異型へ対応強化／東京都 二〇〇一人感染

16日 希望退職募った上場企業、昨年九一社 前年から二・六倍／緊急事態宣言、薄い効果 減らぬ人出に都知事「自粛慣れ」／コロナの死者、世界で二〇〇万人超 今後も増加する恐れ／東京都 一八〇九人感染

17日 米、ワクチン接種に遅れ「惨めだ」 バイデン氏が新目標／東京都 一五九二人感染

18日 変異ウイルス、市中感染か 経路不明で男女三人から検出／コロナで自宅待機中の二人死亡 都知事「痛恨の極み」／東京都 一二〇四人感染

19日 変異型二〇カ国で市中感染か 専門家「水際対策に限界」／技能実習生は使い捨てか コロナ失職よそに大量受け入れ／救急患者「搬送先決まらず」 倍増 昨春の第一波を上回る／東京都 一二四〇人感染

20日 バイデン氏、大統領就任へ「米の結束」訴える演説に／ワクチン、ファイザーと正式契約 年内七二〇〇万人分＝厚労省／中国、春節の帰省にＰＣＲ検査義務づけ 一七億人の予測／菅首相、ＧｏＴｏ予算のコロナ対策への「組み替え必要ない」／東京都 一二七四人感染

21日 再宣言から二週間 菅首相の目標に、専門家「期待薄」「コロナに集中を」五輪中止・延期論、野党から相次ぐ／東京都 一四七一人感染

22日 後手批判で政府ドタバタ 修正ありきの特措法改正案決定／感染経路が分からない変異ウイルス、東京都内で初確認／雇用調整金、三月末まで延長へ 住居確保給付金も再支給／「相談内容が重くなった」コロナで社会支援団体も疲弊／東京都 一一七五人感染

23日 国内の死者、五〇〇〇人に 半月足らずで一〇〇〇人増／自宅療養中に死亡、一八人 病床逼迫し入院先見つからず／東京都 一〇七〇人感染

24日　五輪への逆風「国民と一緒じゃないと……」揺れる選手たち／東京都 九八六人感染
25日　一一回受け入れ拒否、コロナ患者でない女性が心肺停止／首相、Ｇｏ Ｔｏ予算一兆円の撤回を拒む「再開に備え」／内閣支持率三三％に続落、不支持四五％ 無党派層で急落＝朝日世論調査／東京都 六一八人感染
26日　時短要請「甘かった」菅首相、「勝負の三週間」を反省／五輪はコロナに勝った証しなのか？
　山口香さんの違和感／原発制御室に不正入室、柏崎市長「資質に関わる大事件」／東京都 一〇二六人感染
27日　ワクチン接種、国の貧富で確保に差 外交カードにも利用／菅首相「最終的には生活保護ある」コロナでの困窮問われ／世界のコロナ感染者、一億人に一日で六〇万人増える／東京都 九七三人感染
28日　米ＧＤＰ、前年比三・五％減 コロナで未曾有の景気後退／世界のサッカー、コロナで収入減 損失二五〇〇億円／野党のとき、民主党に「自浄能力ない」と攻めた菅氏、いま「記憶ない」／東京都 一〇六四人感染
29日　キャバクラに政治資金で支出 公明・遠山清彦氏が謝罪／二〇二〇年の完全失業率は二・八％ 〇九年以来の悪化に／東京都 八六八人感染
30日　ＥＵ、コロナワクチン輸出を許可制に 供給遅れに不信感／先進国のワクチン確保競争「短絡的」ＷＨＯトップ警鐘／東京都 七六九人感染
31日　「プール方式」のＰＣＲ、破格の安さ でも精度には注意／東京都 六三三人感染

2月

1日　政府、緊急事態宣言を延長へ 一〇都府県で三月七日まで／スーチー氏拘束、ミャンマーで

2日 事実上のクーデターか／大村知事リコール署名八割無効／東京都 三九三人感染
宣言延長、仕方ないけど……飲食店・ホテルへの打撃さらに／コロナ関連の倒産、一〇〇〇件に 昨年九月以降は月一〇〇件前後／米軍の横須賀基地、やまない感染拡大 一月は計二九三人／東京都 五五六人感染

3日 コロナ死者、新たに一二〇人 一日あたりの過去最多更新／国内のコロナ死者、六〇〇〇人超す 二週間足らずで一〇〇〇人増／COCOAの接触通知、昨年九月から届かず 一部端末で／河井案里被告、議員辞職願を提出／東京都 六七六人感染

4日 国内のコロナ感染、累計四〇万人超に／森喜朗氏、謝罪会見へ「女性の会議は長い」発言めぐり／児童虐待の通告、初の一〇万人超 摘発も最多二一三一件／東京都 七三四人感染

5日 アストラゼネカもワクチンの承認申請 大半を日本で生産／キリン、ミャンマー国軍系企業と合弁解消へ 撤退は否定／米J&Jワクチン、緊急時使用を申請 接種一回で効果／首相長男らは衛星放送事業の役員 総務省「接待」鮮明に／東京都 五七七人感染

6日 東京都のコロナ死者、一〇〇〇人超える 二カ月で倍増／ミャンマーで最大規模の抗議デモ 軍はネット遮断命じる／一三〇カ国でワクチン接種始まらず WHOが分配を依頼／東京都 六三九人感染

7日 細る原発産業、人も市場も 脱原発へ技術者不足懸念／東京都 四二九人感染

8日 埼玉で新たに三人が変異ウイルス感染 二人は一〇歳未満／五輪ボランティア三九〇人が辞退 森喜朗氏の発言受け／大阪のコロナ死者数、一〇〇〇人超える 一カ月半で倍増／東京都 二七六人感染

9日 東京都のコロナ死者、一〇〇〇人超える 二カ月で倍増／「努力義務」のワクチン、期待と迷い 専門家「冷静に」／東京都 四一二人感染

10日　生活困窮、ふたり親世帯もひとり親と同じ現金給付訴え／東京都 四九一人感染
11日　森喜朗会長が辞意、組織委の相談役に／PCR検査の資材不足が深刻 輸入減、納期四カ月遅れも／東京都 四三四人感染
12日　ファイザーワクチン承認へ 早ければ一七日から接種開始／東京都 三〇七人感染
13日　首都圏の飲食店、宣言で客七割減／相談員も「うつになりそう」 いのちの電話、増す深刻さ／ミャンマー大規模デモ、一週間続く／東京都 三六九人感染
14日　政府軍砲撃で市民八〇人超死亡か エチオピアの軍事衝突／「従業員を守れるなら」罰則覚悟の夜営業、売り上げ増も／東北で震度六強／東京都 三七一人感染
15日　新規感染、全国で九六五人 三カ月ぶりに一〇〇〇人を下回る／児童生徒の自殺、最多の四七九人 昨年、休校明けに突出／「ワクチン接種で発症が九四％減」 イスラエルが効果発表／内閣支持率横ばい三四％、ワクチン対応評価＝朝日世論調査／東京都 二六六人感染
16日　ファイザー製ワクチン、都内病院に搬入 一七日から接種／持続化給付金締め切り 不正受給容疑などで五〇九人摘発／四割が冬の賞与カット コロナ受け入れ病院、待遇は悪化／東京都 三五〇人感染
17日　ワクチン国内接種始まる まず医療従事者四万人が対象／警察が事件性など確認の死者、一一四人はコロナが死因／ワクチン接種、日本はG7で最後 すでに八〇カ国超実施／東京都 三七八人感染
18日　橋本聖子氏、組織委会長に就任／「アベノマスク」契約文書不開示は不当 大学教授提訴へ／ナイジェリアでまた学校襲撃 生徒一人殺害、四二人拉致／コロナワクチンいつ届く 官邸幹部「私にも分からない」／東京都 四四五人感染
19日　コロナ重症者の退院基準 発症から一五日に＝厚労省／「感染者は殺人鬼だ」ネットの誹謗中

傷、増える相談／コロナ変異株、国内初の実態調査へ 年齢層や重症度分析／東京都 三五三人感染

20日 打倒金持ち、市場ゆがむ？ コロナが生んだアプリ投資家／五輪の今夏開催「日本の決意を支持」G7首脳が声明／東京都 三二七人感染

21日 ワクチン接種、遅れる可能性 河野氏言及、供給が限定的／鼻出しマスク、鼻出す以外にもデメリット 着け方に注意／時短協力金、定休日も支給？ 兵庫・京都は×、大阪は○／ネット依存「巣ごもりで悪化」オンライン授業で再発も／東京都 二七二人感染

22日 英国変異株、大阪で感染を初確認 海外渡航歴ない三人／丸川五輪相「接種前提とせず開催」ワクチン供給遅れでも／菅首相「大変申し訳ない」長男の総務省幹部接待を謝罪／東京都 一七八人感染

23日 タイで反政府デモ再燃 不敬罪でのリーダー格起訴に反発／米国のコロナ死者、五〇万人に感染者は二八〇〇万人超／東京都 二七五人感染

24日 高齢者向けワクチン接種、四月一二日から 首相が表明／接待問題、総務省幹部ら一一人を処分 大臣は給与返納／ワクチンで「今年後半に経済正常化も」米FRB議長／東京都 二一三人感染

25日 ワクチン、公平分配の仕組みで供給開始 まずガーナに／聖火リレー、沿道観覧は地元の人のみ「密」なら中止も／米政権が「バイデノマスク」国産二五〇〇万枚無料配布／東京五輪の観客、IOCバッハ会長「四～五月に判断」／東京都 三四〇人感染

26日 大阪市内の時短要請、九時までに緩和 酒類は八時半まで／東京五輪、無観客は想定せず橋本氏、中止や再延期否定／韓国でもワクチン接種始まる 一部の患者や医療従事者に／高齢者接種、日程ありき 四月「公約化」、悩む自治体／東京都 二七〇人感染

27日　「ワクチン接種のため停戦を」国連、要求決議を採択／ナイジェリアでまた学校襲撃 三〇〇人以上連れ去られる／東京都 三三七人感染

28日　「市民の命が危険に」在日ミャンマー人ら五〇〇人がデモ／接種一回のJ&Jワクチン、米で使用許可 日本でも治験／ワクチン接種率低い黒人「自分は実験台」の感覚、米で今も／東京都 三二九人感染

3月

1日　河村たかし氏「思いもよらんことだった」署名偽造問題を謝罪／ミャンマーのため声上げる東京で反クーデターのデモ／東京都 一二一人感染

2日　一月の休業者、前月より四二万人増 失業率は悪化せず／EU、ワクチン証明書導入へ「差別につながる」懸念も／東京都 二三二人感染

3日　緊急事態宣言、二週間程度延長へ 病床逼迫の改善不十分／コロナ禍の年末、貯金も尽き…生活保護申請六・五％増／東京五輪「中止すべき時が来た」英紙タイムズがコラム／丸川氏、七回続けて答弁拒否 選択的夫婦別姓の反対理由／ワクチン分配、初回は一四二カ国・地域に二・四億回分／東京都 三一六人感染

4日　山田前広報官の接待、官房長官「既に退任、確認しない」／コロナ規制、ドイツが緩和へ無料の抗原検査を全国で／ミャンマー、三日の死者三八人に 安保理が緊急協議へ／首相、「まず自助」変えず「事業伸ばしている人いる」／コロナ支援、相次ぎ期限切れ 財務省「際限なくなる」／東京都 二七九人感染

5日　日米豪印、ワクチンをアジア諸国に配布計画 中国に対抗／案里氏当選による交付金六〇〇〇万円 首相、返還しない考え／東京で医療従事者向けワクチン接種開始 六〇万人対象／東

京都 三〇一人感染

6日 子どもの自殺、過去最多 コロナの影響深刻／女性議員の割合、日本は一六六位 世界平均は倍増二五％／変異株、「散発」から「増加」へ 二〇都府県に広がる／東京都 二九三人感染

7日 ミャンマー国軍、犠牲者の墓掘り起こす／政官業「原発復権」合唱 脱炭素のため？／東京都 二三七人感染

8日 一月の経常黒字、前年比二・三％減 五カ月ぶりに悪化／東京都 一一六人感染

9日 復興の姿、想定より「悪い」四九％ 被災三県の住民調査／東京五輪、海外一般客の受け入れ断念へ 日本側が方針／Ｇｏ Ｔｏイートのポイント、期限を延長 最長六月末まで／東京都 二九〇人感染

10日 東京五輪七月開催「疑う理由はない」ＩＯＣバッハ会長／変異株、二一都府県で二七一人感染 一カ月で四倍以上に／生活保護、不適切な説明して申請受理せず 横浜市が謝罪／東京都 三四〇人感染

11日 ＥＵのワクチン輸出管理、六月末まで延長 不許可案件も／震災一〇年 一四時四六分、列島に広がった祈り／官房長官しどろもどろ 式辞から「復興五輪」なぜ消えた／東京都 三三五人感染

12日 コロナ感染拡大、製造業でも景況感が悪化 財務省調査／コロナワクチン、アナフィラキシー疑い三六人／二〇〇兆円の追加経済対策 バイデン氏「歴史的な法律」／東京都 三〇四人感染

13日 「クラスター発生病院の所在地は」高校の定期試験で出題／東京都 三三〇人感染

14日 感染情報、外国人は翻訳頼み「やさしい日本語」求めて／東京都 二三九人感染

15日 最高裁裁判官にジェンダーバランスを 九二団体が要望書／東京都 一七五人感染

16日　WHOは促進、日本も大量契約 欧州各国が中断のアストラゼネカ製／コロナ変異株で国内初の死者 神奈川の五〇代と七〇代／ロシア製ワクチンで揺れる欧州 承認なく接種進める国も／「記憶にございません」連発 東北新社めぐり総務省幹部／ミャンマー抗議デモ、死者一三八人国連「がくぜん」／東京都 三〇〇人感染

17日　自粛疲れ、時短営業も「限界」二一日にリバウンド懸念残す解除／変異株、欧州で猛威 頼みのワクチンに遅れ／大阪の夜の繁華街、二月から人出増 コロナ再拡大おそれ／ワクチン格差にフランス苦悩 過疎地・高齢者・PCなし／東京都 四〇九人感染

18日　菅首相、宣言全面解除を判断「基準を安定して満たした」／柏崎刈羽原発のテロ対策「最悪」評価 東電社長が会見へ／五輪開会式責任者退任へ 容姿侮辱の演出提案と文春報道／東京都 三二三人感染

19日　コロナ対策にサーキットブレーカー検討へ 国に慎重論も／変異株の割合、神戸では五五％に 経路不明は三倍増加／選抜高校野球、二年ぶりに開幕 開会式参加は六校だけ／東京都 三〇三人感染

20日　カンボジア、強まる個人独裁「支持あれば永久に首相」／東京都 三四二人感染

21日　大阪で新たに一〇〇人感染、五日連続で一〇〇人以上／子どもの命、三割は「救えた」事故検証続けるチャイルド・デス・レビュー／「五輪パラ中止・延期すべき」調査五カ国いずれも七割超 米・中・韓・仏・タイ／東京都 二五六人感染

22日　感染リバウンドの兆し 夜の人出一〇〇％増の街も／コロナで犬猫飼う人増えた、でも…殺処分の増加に危機感／同性婚、法律で「認めるべき」六五％ 五輪「再延期」三六％、「中止」三三％＝朝日世論調査／東京都 一八七人感染

23日　首都圏四都県、時短要請四月二一日まで継続 共同表明へ／看護師ら二割「うつ的症状感じ

る」コロナ対応で負担増／津久井やまゆり園で採火の方針 東京パラリンピック聖火／東京都 三三七人感染

24日 大阪府で新たに二六二人感染／「拾骨」できない…コロナの非情 厚労省指針徹底されず／東京都 四二〇人感染

25日 東京で「第三波超え」の懸念 花見や卒業旅行で急増恐れ／聖火リレー「始まったら、もうやめられない」政府高官／東京都 三九四人感染

26日 米英、ミャンマー国軍系企業に制裁 死者は三二〇人に／五月中に「六回打ち」注射器に高齢者接種で河野氏方針／一〇六兆円の新年度予算成立 一般会計総額は過去最大／マスク非着用で「雇止め」重い皮膚炎、理解されず／東京都 三七六人感染

27日 大阪で新たに三八六人が感染 三五〇人超えは一月以来／東京五輪、「大会関係者」を大幅削減 IOCが決定／東京都 四三〇人感染

28日 コロナ病床の確保計画、都道府県に見直し求める＝厚労省／大阪府 三二三人感染／東京都 三一三人感染

29日 厚労省職員二三人、午前〇時ごろまで送別会 時短要請中／東京都、時短応じない四店に過料手続き 特措法、全国初／吉村知事、飲食店でマスク義務化要請か「第四波入った」／ミャンマー国軍の弾圧にバイデン氏「常軌を逸している」／東京都 二三四人感染

30日 政府、大阪に「まん防」初の適用へ調整 府の要望受け／コロナ第四波なら「内閣総辞職に値する」野党三党一致／東京都 三六四人感染

31日 大阪、新たに五九九人感染 第三波ピークの人数に近づく／コロナ感染、二カ月ぶり全国で二五〇〇人超 宮城・青森で最多／コロナ入院一人につき診療報酬五〇〇万円減＝京大推計／東京都 四一四人感染

4月

1日　仏 変異ウイルス拡大 外出・営業の制限全国に 学校も閉鎖へ／まん延防止等重点措置 大阪・兵庫・宮城に適用決定／東京都 四七五人感染

2日　大阪 コロナ対策「見回り隊」飲食店巡回へ アクリル板の品切れも／東京都 四四〇人感染

3日　世界の感染者 一億三〇二六万人 死者二八三万人／大阪、過去最多の六六六人が感染／東京都 四四六人感染

4日　二階氏「不信任案出してきたら即解散」野党を牽制／東京都 三五五人感染

5日　フジHD、外資規制違反の疑い 社長認める「甘かった」／首相、第四波を問われ「大きなうねりではないが警戒感」／東京都 二四九人感染

6日　入管改正案「国際水準達せず」国連の人権専門家が書簡／アストラゼネカのワクチン「血栓と関連」EU専門機関／大阪府、新たに七一九人感染 過去最多、初の七〇〇人超／変異株が猛威、ロックダウンでは足りず 欧州で入国規制／東京都 三九九人感染

7日　大阪府、最多八七八人感染 重症病棟の使用率七割超える／医師会長「これまでで最大の危機」我慢の限界に変異株／東京都 五五五人感染

8日　大阪府で新たに九〇五人感染／コロナ失職、累積一〇万人超える 三月にまた急増／入管収容のスリランカ人女性死亡「面会のたび体調悪化」／東京都 五四五人感染

9日　変異株、政府の対策は重点措置のみ 尾身茂氏は強く警告／東京都 五三七人感染

10日　ミャンマー、八〇人以上殺害か 市民一九人に死刑判決も／JRAが騎手ら一七〇人処分 コロナ給付金を不正受給／大阪府、新たに九一八人感染／東京都 五七〇人感染

11日　重点措置「不十分」七六%、支持率横ばい＝朝日世論調査／東京都 四二一人感染

12日　五輪「観客なしで」四五%「制限」四九%＝朝日世論調査／「変異株と素手で戦ってるよう

なもの」小池知事が危機感／官房長官「基本方針に沿い機動的に対応」大阪府再拡大／東京都三〇六人感染

13日 自民・麻生派がパーティー開催「不要不急じゃない」／大阪府 一〇九九人感染／菅首相「海洋放出が現実的と判断した」関係閣僚会議／東京都 五一〇人感染

14日 菅首相、コロナ拡大「大きなうねりとまでなっていない」／尾身氏「第四波入った」重症急増の大阪は災害レベルか／日本医師会長「早期に緊急事態宣言を」政府に対応促す／東京都五九一人感染

15日 二階氏が五輪中止言及 政府・与党内に動揺／閉店時間八時→九時→八時 店を振り回す時短／東京都 七二九人感染

16日 COCOA問題、業者任せが連鎖 厚労省の能力「疑問」／大阪で一二〇九人感染／文科相、一斉休校は「真に必要な場合に」／ワクチン接種「一人じゃ行けない」移動困難な高齢者ら／東京都 六六七人感染

17日 ミャンマー民主派「統一政府」樹立を宣言 国軍を拒否／首相、東京五輪は「世界の団結の象徴」開催決意を強調／日米首脳会談が始まる 中国との向き合い方が主要議題に／東京都七五九人感染

18日 大阪で一二二〇人感染、最多更新 四指標が緊急宣言水準／掲げた自宅療養ゼロ、もう限界…兵庫で進む「命の選択」／東京都 五四三人感染

19日 大阪府、国に看護師派遣を要請 重症センター全床運用へ／兵庫、病床使用率八割超える 新たに四〇六人感染確認／東京都 四〇五人感染

20日 安倍氏、憲法改正推進本部最高顧問に「喜んで」と快諾／大阪府、緊急事態宣言要請を正式決定 飲食店休業求める／厚労省二三人送別会、参加者の過半数が感染／東京都 七一一人感染

21日　五輪観客数の判断時期、なお「検討中」／全国の感染者数、三カ月ぶりに五〇〇〇人超え／学術会議、任命要求崩さず 対立避けたい政府、いら立ち／大阪府、最多一二四二人感染／東京都 八四三人感染

22日　四都府県に緊急事態宣言 四月二五日から五月一一日／東京に広がる変異株 二週間後に「一日二〇〇〇人超」試算も／コロナ響き、健保組合の八割が赤字 保険料率引き上げも／医療従事者、届かぬワクチン 高齢者向け転用しやりくり／東京都 八六一人感染

23日　五輪に突き進む政権 再々宣言でも「やらぬ選択肢ない」／一七日間で効果どこまで 緊急事態宣言、専門家も懐疑的／首相がワクチン見通し 七月末までに高齢者の接種終える／変異株はなかなか収束しない…フランス、感染者高止まり／西村担当相「路上・公園での集団飲酒、注意喚起を徹底」／東京都 七五九人感染

24日　ＡＳＥＡＮ会議、ミャンマー暴力停止求める 特使派遣へ／新規感染者、全国で五六〇六人／大阪で一〇九七人の感染／菅首相、追い込まれてまた謝罪「まん延防止」も不発に／東京都 八七六人感染

25日　菅政権、初の国政三選挙で「全敗」野党共闘に弾み／東京都 六三五人感染

26日　外国人選手ら「二週間待機」免除へ 五輪めぐり政府方針／コロナによる国内死者が一万人超える 今年に入り急増／東京都 四二五人感染

27日　コロナで生活苦の母子家庭 体重減った子、東京は一割弱／大阪府で新たに一二三〇人感染／五輪相も「見せていただけない経費」六割は公費なのに／コロナ死、日本下回る韓国 位置情報で隔離、定期連絡も／東京都 八二八人感染

28日　全国で新たに五七九三人感染 一日五〇〇〇人超は四日ぶり／東京オリパラ「無観客の覚悟持っている」橋本会長／大阪府で過去最多一二六〇人感染／バイデン氏、二〇〇兆円の追加

経済対策案 富裕層に増税／東京都 九二五人感染

29日 大阪で過去最多四四人死亡、一一七一人感染／東京都 一〇二七人感染

30日 「マスクして打ち合わせ」でも職場感染／「時短要請」応じず来客増 グローバルダイニング黒字／大阪府 一〇四三人感染／世界のコロナ感染者、一億五千万人超す 死者三一六万人／東京都 六九八人感染

5月

1日 「飛鳥Ⅱ」の乗客一人がコロナ感染 クルーズ中止へ／映画館を追い込む緊急事態 開けても閉めても「地獄」／東京都 一〇五〇人感染

2日 重症者、三カ月ぶり最多更新 全国で一〇五〇人に／大阪府 一〇五七人感染／東京都 八七九人感染

3日 緊急事態条項や「改憲四項目」実現を 首相がメッセージ／英国型変異株、二〇～三〇代の入院三倍 欧州七カ国分析／改憲必要四五％、不要四四％、九条維持六一％＝朝日新聞世論調査／東京都 七〇八人感染

4日 インド、コロナ感染が累計二〇〇〇万人超に／東京都 六〇九人感染

5日 宣言延長、週内に判断へ 首相「人流は間違いなく減少」／五輪マラソンのテスト大会、札幌でスタート コロナ厳戒／赤木ファイル、国が存在認める方針 森友改ざん問題／東京都 感染六二一人 二〇代が一五五人で最多

6日 緊急事態宣言五月末まで延長 愛知・福岡追加／GWの首都圏からの越境、昨年の倍 銀座や梅田は大幅増／ミャンマー民主派、「防衛隊」を設立 国軍に対抗／二・七億人「急性飢餓」の恐れ コロナ影響をWFP指摘／東京都 五九一人感染

7日　「短期決戦」狙った宣言、延長へ 自粛疲れで不明な効果／「医療は限界 五輪やめて」病院窓の叫び、院長の思い／休業要請、効果語らぬ首相「なぜ緩和」不満持つ自治体／東京都 九〇七人感染

8日　国内感染者、四カ月ぶり七〇〇〇人超 一四道県で過去最多に／大阪府 一〇二一人感染／東京五輪の観客数、WHO「疫学的な数値で決断を」／宣言延長、追いつかない支援策 失業二万人増の試算も／東京都 一一二一人感染

9日　五輪開催の目安は「ステージ二以下の維持」専門家指摘／北海道で五〇六人感染、過去最多更新 札幌は三二七人／東京都 一〇三二人感染

10日　四～五月入国のコロナ陽性者、インド周辺三国が過半数／入国後待機、一日最大三〇〇人が違反 警告メール送信へ／一日一〇〇万回接種、掲げたが 焦る首相、首長らへ再三の電話／枝野氏、五輪中止求める「もう判断の先送りできない」／東京都 五七三人感染

11日　池江璃花子さんに向かった五輪批判 やり場のない不満の表れか／ガザ空爆二六人死亡 七年ぶりのエルサレム攻撃／愛知で過去最多の五七八人感染／都会から被災地に移住続々 コロナ禍で倍増／東京都 九二五人感染

12日　菅首相、緊急事態「心苦しいが協力を」三一日まで延長／「心はイスラエルと共に」中山防衛副大臣がツイート／福岡県、過去最多の六三五人感染／前統幕長「危機管理として失敗」ワクチン対応を批判／ワクチン予約システム、各地で障害 復旧の見通し立たず／東京都 九六九人感染

13日　全国の重症者、初の一二〇〇人超／「医療従事者に準じる」優先接種した首長の理屈／菅首相、「赤木ファイル」再調査と所在確認を否定／ミャンマーに巨額投じた日本 かすむODA最後の地平／「就活セクハラに遭った」四人に一人＝厚労省／地方から相次ぐ重点措置要請

14日　自助努力求める国に変化も／東京都 一〇一〇人感染
「二重予約防げない」 大規模接種センターに区長ら猛反発／四月に自殺した女性六〇七人、昨年から三割増える／自宅などで死亡の感染者、「第四波」で急増／LGBT法案、与野党が合意「差別は許されない」明記／五輪中止、署名は三五万人に 宇都宮健児が都に要望書提出／入管法採決急ぐ与党 阻止する野党、一〇項目の修正要求／東京都 八五六人感染

15日　「上映しとっても感染してないし」映画関係者ら抗議／楽天・三木谷氏、東京五輪開催は「まるで自殺行為」／東京都 七七二人感染

16日　内閣支持三三％に急落 コロナ対応に不満＝朝日世論調査／五輪「中止」四三％、「再延期」四〇％＝朝日世論調査／東京都 五四二人感染

17日　タイの刑務所で計六八五三人が感染 過密な収容が原因か／二階氏「私は関与していない」河井氏への一億五千万円／東京都 四一九人感染

18日　「強行すれば選挙は負ける」 入管法改正、追い込まれ断念／五輪中止の費用負担「回答控えたい」答弁書を閣議決定／都、三三飲食店に休業・時短命令 応じなければ過料通知／途上国へのワクチン一億九千万回分不足 WHO共同調達／東京都 七三二人感染

19日　自民の細田博之氏「国に頼るなんて沖縄らしくない」 コロナ対策で／木村花さんTwitter中傷、投稿者に一二九万円賠償命令／アジア系へイトクライム対策を強化 米法案成立へ／死者二〇〇人超、ガザへの空爆続く 停戦求める声高まる／東京都 七六六人感染

20日　モデルナとアストラ製ワクチン承認へ ア製は使い道未定／相次ぐ副大臣の遅刻 官房長官が苦言／自民、LGBT法案の了承見送り「差別許さず」に異論／「接種完了、七月末の根拠ない」広島市、政府目標に反発／東京都 八四三人感染

21日　東京五輪、強まるワクチン頼み 大会関係者へ接種も／IOCコーツ副会長「緊急事態宣言

下でも五輪開ける」／イスラエルとハマス、停戦に合意 エルサレム問題棚上げ／インド株「脅威」と厚労相 感染力は英国株の一・五倍か／「種の保存にあらがう」自民議員のLGBT差別相次ぐ／東京都 六四九人感染

22日 陸自火力演習、コロナ禍で規模拡大 弾薬予算七七億円／東京都 六〇二人感染

23日 全国のコロナ重症者一三〇四人 三日連続で過去最多更新／困窮ふたり親に給付金／東京都 五三五人感染

24日 自民、LGBT法案を了承 保守系議員は「認めてない」／二階氏「(責任者は) 総裁と幹事長」一億五〇〇〇万円問題／総務省接待五四件、全て東北新社が負担 調査報告書発表／インドなどから入国、水際対策強化へ 変異株流入防ぐ／五輪実現のため「犠牲払わなければ」バッハ会長が発言／東京都 三四〇人感染

25日 自民・広島県連幹部の怒り 安倍氏、二階氏に「説明を」／特定技能で在留の外国人、一年で六倍に 資格変更が増加／米国務省、日本への渡航中止を勧告 変異株の拡大を指摘／東京都 五四二人感染

26日 雇用調整助成金のコロナ特例、七月も現状維持へ 財政難の懸念も／「端末一人一台」進まぬ高校 一五都道府県が保護者負担／東京都 七四三人感染

27日 緊急事態、六月二〇日まで延長へ 首相「予断許さない」／都内の医療従事者、接種まだ半数 ワクチン余る施設も／五輪「今の状況なら開催困難」東京都医師会長が指摘／千葉県内の聖火リレー、全区間で中止 首都圏では初めて／東京都 六八四人感染

28日 菅首相「度重なる延長、心苦しい」引き続き時短要請／東京都、休業要請を緩和へ 映画館や博物館は時短要請に／土地規制法案、与党が採決強行 自衛隊基地周辺など規制／「自信を持って東京にきて」IOC会長／東京都 六一四人感染

29日　「協力金遅い」振り袖売って家賃に　酒提供始める店も／感染は自己責任　参加同意書にＩＯＣは「全員が従う」／ファイザー製ワクチン、一二～一五歳にも接種へ＝ＥＵ／東京都　五三九人感染

30日　ミャンマー、不服従貫く教育現場　国軍の締め付けに対抗／コロナで出生数激減／東京都　四四八人感染

31日　ベトナムの混合型変異株「国内で確認されず」＝官房長官／大規模接種の対象拡大始まる　一日に一万五〇〇〇人可能に／変異株、複数ルートで流入か　水際対策強化に隙／東京都　二六〇人感染

6月

1日　ミャンマーへの特使派遣　ＡＳＥＡＮの仲介は難航／宣言再延長　疲労にじむ飲食店「街も人もめちゃくちゃ」／ＤＨＣ会長の差別的文章を削除　同社「コメント控える」／首相「国民の命と健康を守ることより五輪優先はない」／ＬＧＢＴ法案、自民党三役が見送り合意　公明代表は苦言／東京都　四七一人感染

2日　首相「スポーツの力世界に」コロナ禍で五輪、意義強調／五輪ボランティア、一万人が辞退　大会関係者数を初公表／墨田区　六五歳未満の全対象者に接種券／六月も緊急事態下、もう要請従わないバー「客離れが」／尾身氏「規模最小限、管理は厳格に」五輪開催ならば／英でコロナ死者ゼロに　昨年三月以降初　感染者は再び増／東京都　四八七人感染

3日　日本政府、台湾にワクチン一二四万回分提供　中国は批判／尾身氏「パンデミックの中で五輪やるのは普通ではない」／東京都　五〇八人感染

4日　総務省、接待問題で三二人処分　会食七八件も新たに確認／「コロナ疲れ感じる」七割、二

○代が最多 内閣府調査／希望退職募る上場企業、今年五〇社に 前年比二カ月早く／丸川氏、尾身氏発言に「全く別の地平から見てきた言葉」／日本の開発、ミャンマー国軍の資金に？／東京都 五七二人感染

5日 子ども二一五人の遺骨発見 カナダの先住民学校跡地から／東京都 四三六人感染

6日 コロナ感染、高まる子どもの割合 数週間後重症化の例も／スマホで手軽に、巣ごもり投資コロナ禍で若者に広がる／東京都 三五一人感染

7日 尾身氏「五輪のリスク、示すのは責務」諮問しない首相／五輪判断を問われた菅首相「私は主催者でない」／「世論が間違ってますよ」竹中平蔵氏、五輪中止論を批判／東京都 二三五人感染

8日 菅原一秀・前経産相、きょうにも略式起訴へ 公選法違反の罪／立憲・本多平直氏、性交同意発言で「不快な思いさせおわび」／東京都 三六九人感染

9日 政府肝いりが一変、ガラガラの大規模接種／首相「一〇～一一月には接種終える」二年ぶり党首討論／首相、はぐらかし長広舌「切り札」頼みで深まらぬ討論／「八月に宣言相当の流行」二一日解除なら、西浦博教授試算／コロナ禍で困窮、受診控えの死亡八件 昨年＝民医連調査／加山雄三さん聖火ランナーを辞退 五輪開催「喜べない」／東京都 四四〇人感染

10日 東京都内の人出、四週連続増 リバウンドへの懸念相次ぐ／尾身会長「応援は他の方法で」五輪・パラのパブリックビューイング／東京都 四三九人感染

11日 改正国民投票法が成立 反対派「議論、あまりに拙速」／官房長官 緊急事態条項「コロナ経験し、絶好の契機」／「徹底的に干す」「脅しておいて」平井卓也大臣、幹部に指示／東京都 四三五人感染

12日 抗議の声が消えた香港 異例の重い実刑次々、広がる萎縮／「強力な選手団派遣を」首相、G

7首脳に五輪協力要請／東京都 四六七人感染

13日 菅首相「安全安心な五輪」訴える米・仏は「支持する」／東京都 三〇四人感染

14日 G7の結束掲げたバイデン氏 対中国、首脳間で温度差も／野党四党、内閣不信任案提出へ 自民は会期延長を拒絶／首相「最優先はコロナ対策」衆院の解散・総選挙問われ／東京都 二〇九人感染

15日 重大な違反で制裁金、資格剝奪も 五輪選手のルール公表／ワクチン接種で留学への期待高まる 準備に奔走する大学／東京都 三三七人感染

16日 ワクチン九七万回分、ベトナムへ発送 ASEANを支援／東京・大阪など九都道府県、宣言解除へ 沖縄は延長／東京都 五〇一人感染

17日 首相、五輪有観客開催に意欲「最大一万人」方針言及／宣言解除で確実視されるリバウンド 再宣言の懸念拭えず／五輪中に感染拡大 西村氏「必要なら緊急事態宣言」／フランス、夜間外出禁止を解除へ 屋外マスク規制も緩和／東京都 四五二人感染

18日 LGBT法案提出されぬまま閉会 当事者ら抗議の会見／五輪観客の別枠は「矛盾したメッセージに」尾身会長／組織委の橋本会長「見たい観客いる限り、最後まで協議」／東京都、酒類提供「二人まで」さらに拡大 昼の提供も可／首相「俺は勝負したんだ」宣言解除、五輪へのシナリオ／東京都 四五三人感染

19日 「申し訳ない」七八回で国会を逃げた首相 官僚まで首相見習う／女性議員の八割が心理的暴力を経験 政界に根強い性差別／東京都 三八八人感染

20日 選手村、酒OKも「一人飲みで」コンドームは帰国時に／東京都 三七六人感染

21日 映画「宮本から君へ」の助成金不交付は違法＝東京地裁／五輪「無観客で」五三％ 内閣支持三四％＝朝日世論調査／東京都 二三六人感染

22日　「国軍が利益を得ぬよう」EUがミャンマー制裁を拡大／宮城の住民「復興五輪、今は違う」かすむ理念に落胆／国が遺族側に「赤木ファイル」を開示／東京都 四三五人感染

23日　進まぬ夫婦別姓議論に安倍氏の影 自民が抱えるジレンマ／五輪会場の酒類提供取りやめアサヒビール「支持する」／五輪・パラ事前合宿、中止相次ぐ「選手にストレスが」／コロナ禍の沖縄・慰霊の日 変わらぬ祈りを守りたい／東京都 六一九人感染

24日　中国化拒んだリンゴ日報 つらい別れと感謝／東京すでにリバウンドの兆し 第五波、五輪直撃の懸念も／陛下の懸念は「宮内庁長官自身の考え」＝加藤官房長官／東京都 五七〇人感染

25日　ミャンマー、市街地で国軍と銃撃戦 進む市民の武装化／コロナ対策給付金を詐取容疑、経産省キャリア二人逮捕／政府の特例貸し付け、一兆円超 リーマン後の五〇倍以上／東京都 五六二人感染

26日　ASEAN四カ国に新たにワクチン提供 各一〇〇万回分／東京都 五三四人感染

27日　ワクチン拒めば無給？ コロナ猛威のロシア、接種強制も／東京都 三八六人感染

28日　六人任命拒否の文書、不開示決定 学術会議めぐり政府／小池知事の不在は「きつい」五輪とコロナに与える影響／東京都 三一七人感染

28日　ワクチン職域接種、受付再開断念 供給量上回り対応困難／五月の完全失業率〇・二ポイント悪化、五カ月ぶり三％台／東京都 四七六人感染

30日　五輪無観客に現実味 東京の感染拡大、いら立つ政権幹部／感染者出れば関係者全員を隔離へ 五輪合宿で政府方針／東京都 七一四人感染

参考資料 … 朝日新聞、毎日新聞、読売新聞、産経新聞、東京新聞、ロイター、AFP、CNN、NHK、ニューズウィーク日本版、週刊文春など

森 達也（もり・たつや）

1956年、広島県呉市生まれ。映画監督、作家、明治大学特任教授。テレビ番組制作会社を経て独立。98年、オウム真理教を描いたドキュメンタリー映画『A』を公開。2001年、続編『Ａ２』が山形国際ドキュメンタリー映画祭で特別賞・市民賞を受賞。佐村河内守のゴーストライター問題を追った16年の映画『ＦＡＫＥ』、東京新聞の記者・望月衣塑子を密着取材した19年の映画『ｉ－新聞記者ドキュメント－』が話題に。10年に発売した『Ａ３』で講談社ノンフィクション賞。著書に、『放送禁止歌』（光文社知恵の森文庫）、『「A」マスコミが報道しなかったオウムの素顔』『職業欄はエスパー』（角川文庫）、『Ａ２』（現代書館）、『ご臨終メディア』（集英社）、『死刑』（朝日出版社）、『東京スタンピード』（毎日新聞社）、『マジョガリガリ（エフエム東京）、『神さまってなに？』（河出書房新社）、『虐殺のスイッチ』（出版芸術社）、『フェイクニュースがあふれる世界に生きる君たちへ』（ミツイパブリッシング）、『U 相模原に現れた世界の憂鬱な断面』（講談社現代新書）など多数。

論創ノンフィクション 014

定点観測

新型コロナウイルスと私たちの社会 2021年前半

2021年9月20日　初版第1刷発行

編著者　森　達也

発行者　森下紀夫

発行所　論創社

東京都千代田区神田神保町 2-23　北井ビル

電話　03（3264）5254　振替口座　00160-1-155266

カバーデザイン　奥定泰之

組版・本文デザイン　アジュール

印刷・製本　精文堂印刷株式会社

編　集　谷川 茂

ISBN 978-4-8460-2064-4 C0036

第 1 弾

論創ノンフィクション 005

森 達也 編著

定点観測
新型コロナウイルスと私たちの社会
2020 年前半

定価：本体 1800 円＋税

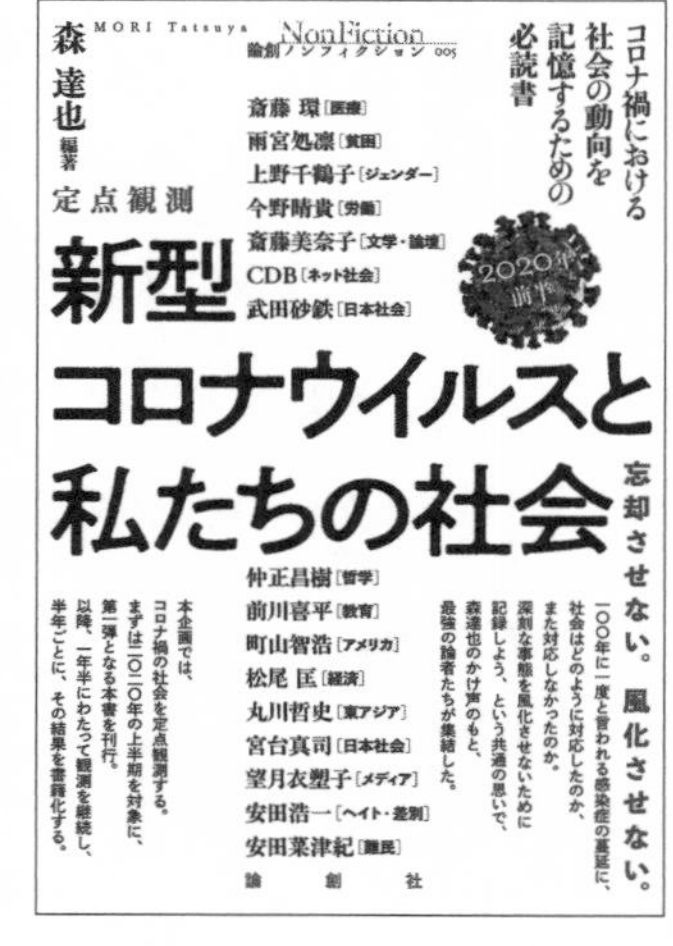

【医療】斎藤環
【貧困】雨宮処凛
【女性】上野千鶴子
【労働】今野晴樹
【文学・論壇】斎藤美奈子
【ネット社会】ＣＤＢ
【社会】武田砂鉄
【哲学】仲正昌樹
【教育】前川喜平
【アメリカ】町山智浩
【経済】松尾匡
【東アジア】丸川哲史
【日本社会】宮台真司
【メディア】望月衣塑子
【日本社会】森達也
【ヘイト・差別】安田浩一
【難民】安田菜津紀

100 年に一度と言われる感染症の蔓延に、私たちの社会はどのように対応したのか、また対応しなかったのか。深刻な事態を風化させないために記録しよう、という共通の思いで、森達也のかけ声のもと、最強の論者たちが集結した。本企画では、コロナ禍の日本社会を定点観測する。まずは 2020 年の上半期を対象に、第 1 弾である本書を刊行。以降、2 年半にわたって観測を継続したい。コロナ禍における日本の動向を記憶するための必読書。

第　2　弾

論創ノンフィクション 010

定点観測

新型コロナウイルスと私たちの社会

2020 年後半

森　達也 編著

定価：本体 2000 円＋税

【医療】斎藤環
【貧困】雨宮処凛
【女性】上野千鶴子
【メディア】大治朋子
【労働】今野晴樹
【文学・論壇】斎藤美奈子
【ネット社会】ＣＤＢ
【社会】武田砂鉄
【哲学】仲正昌樹
【教育】前川喜平
【アメリカ】町山智浩
【経済】松尾匡
【東アジア】丸川哲史
【日本社会】宮台真司
【日本社会】森達也
【ヘイト・差別】安田浩一
【難民】安田菜津紀

緊急事態宣言後の社会はどう変容したのか。第二波を迎えるなかで強行された、Go To キャンペーンの行方はいかに。安倍政権から菅政権に変わったことで、コロナ対策はどうなっていったのか。雇止めや解雇で大量の失業者が生まれるなか、政府は弱者に救いの手を差しのべたのか。本企画では、コロナ禍の社会を定点観測する。第 1 弾は 2020 年の前半を対象に刊行した。第 2 弾となる本書では、同年の後半が観測の対象となる。